坂口恭平の心学校

著：みなみしま　話者：坂口恭平

晶文社

坂口恭平の心学校

ブックデザイン　吉岡秀典
＋及川まどか（セプテンバーカウボーイ）

はじめに

はじまりは、ぼくのひとつのツイートでした。

ちょうど熊本で坂口恭平さんの個展「坂口恭平日記」が開幕した頃です。小学生の時に建築家を志し、現在に至るまで建築的な思考を貫いている坂口さんの活動を、いまの若手の建築家たちはどう見ているのか？　どなたかお話してみませんかという趣旨のツイートでした。

ぼくの名前は南島興《みなみしまこう》と言います。一九九四年生まれの二八歳です。もともと大学院で美術史を研究していて、いまは公立美術館で学芸員をしながら、現代美術の展覧会について批評を書いたり、美術メディアを運営したりしています。坂口さんの活動を知ったのは、ちょうど高校一年のとき。東日本大震災への反応から書かれた『独立国家のつくりかた』を読んだのがきっかけでした。学生時代には坂口さんの小説について批評したこともあります。ただ、ぼくの場合はあくまでも美術作家としての坂口さんを見ていたので、坂口さんの出身である「建築」に関わる人たちはどう見ているのだろうと思ったのでした。ツイートをしてから数分。ある人からリプライが届きました。

「おれ話そうか」

なんと坂口恭平さんご本人からでした。これが坂口さんとのファーストコンタクトです。

その晩にはツイッター上でオンライントークができるスペースを立ち上げて、坂口さんに直接、お話をうかがうことになりました。

ぼくが以前書いた批評を読んでくださっていたことも分かり、坂口さんに建築や美術に関する突っ込んだ質問を投げかけているうちに、この「心学校」という学校の名を借りた連続対話の企画が立ち上がりました。また明日もやろう、ということになり、それからほぼ二日に一回のペースでスペースを開き、全五回にわたる「心学校」が収録されました。

毎回、約五〇〇人前後の方がリアルタイムで聴いてくださり、大変な熱気と一体感が生まれました。アーカイブの総再生数も、現在までに一〇万回を超えています。

その全対話をまとめた一冊が『坂口恭平の心学校』です。第1回は坂口さんにとっての建築とは何か、第2回以降は同じ要領で、それぞれ文学、美術、音楽について、そして最終回の第5回はそれらのまとめとして「生きのびること」をテーマに話しています。

基本的にはスペースで話した順に構成されていますが、書籍化にあたっては全編にわたり、対話の内容と交わされた言葉を吟味して書き改めました。それはテキストにしたときの読みやすさを確保するためでもありますが、ある意味では、この本が坂口さんではなく、まったくの他人である南島の本として書かれている理由にもつながっています。

ぼくは本書の企画書にこのような意図を記しています。

心学校は坂口恭平の声による共同体であり、同時に南島興の文字による批評の場なのである。

本書は第一にはもちろん坂口さんの思考を開示する、「坂口恭平解体新書」のような本です。これまで日記やインタビューなどで部分的に開示されていたものの、これほどまでに建築や美術、音楽など、坂口さんの活動について全方位的に踏み込んで語られているものはなかったと思います。特に第三回の美術に関する対話では坂口さんの絵画的な関心に深く迫れているはずです。

第二には以上のような坂口さんの活動を、ぼく自身が一度は対話の中に入り、そして対話をテキスト化する過程において、一歩引いた視点から「批評」することに取り組んだ本でもあります。そうなるように心がけて、この本を作りました。本書がスペースでの、いわば音声版の心学校の聞き心地とは異なる、新鮮な読み心地のあるテキスト版の心学校になっていれば、嬉しく思います。

突然のひとつのツイートからはじまった坂口さんによる声の共同体、心学校。それはオンライン上では一度、解散しました。しかし、今回は舞台を紙の上に変えて新しく生まれ変わります。その誕生は音声版とは異なる共同体を作り上げることにつながるかもしれません。

本になる、つまりテキストになるということは、心学校はいつまでも、この世界にあり続けることを意味しています。少なくとも、読む人がいる限りは、いつでもどこでも、心学校は開かれることでしょう。

あなたがページをめくれば、あなたの心学校が開校します。これから始まる、坂口さんと南島による楽しくも真剣な全五回の対話を、どうぞお楽しみください。

南島 興

目次

第1回 建築

自分自身が建築なんだ

南島　はじめに建築に対するいまのお考えを聞いてみたいです。坂口さんは早稲田大学建築学科を卒業して、その時に出会った建築家の石山修武〈1〉を師と仰いでいます。二〇一一年の東日本大震災後には「建てない建築家」〈2〉や「新政府内閣総理大臣」〈3〉として、いまの社会に対する広い意味での建築的態度を示されてきています。その視点からすると、二〇二三年現在の小説を書き、パステル画を描き、畑を耕して過ごす生活は、当初の建築的な関心とは随分と変わってきているように見えます。少なくとも、坂口さんの活動に対する社会の「見え方」は変わりましたし、それによって坂口さんはより自由に振る舞えるようになったと思います。坂口さん本人のなかでは、この数年で建築をつくる、もしくはつくらないことへの考え方には変化があったのでしょうか。

坂口　こう言えると思う。以前は建築が何たるかをわかっていなかった。けれど、現在はわかってきた。今回の個展でも、誰もそれを建築とは思わないだろうけど、建築的技術は駆使されている。その意味は、自分でも一〇年後に分かるようになり、まわりはさらにその少しあとに気づくことになる。何にせよ、おれのなかでは、自分で作ってないという意識がある。要するに、自分自身が建築なんだよね。箱で区切られてないけど、開口部の多いヴォイドしかない器であるというのが、小説『現実宿り』〈4〉を書き始めてからより自覚していったこと。

もちろん、建築はそれを使う人がいないと始まらない。じゃあ建築としてのおれを使う人は誰か。精神科医の斎藤環〈5〉はおれのことを統合失調状態ではないが、感情が分裂状態であると言った。つまり、躁と鬱では感情が遮断されていて、記憶の橋もまったくかかっていないということ。それこそヴェネツィア・ビエンナーレ建築展の磯崎新〈6〉と石山修武が試みたような崩壊した瓦礫にまみれた焼野原のイメージ。これがおれの鬱状態。だけど、躁だと一転して虹もひとつの構造物だと分かって、虹のうえも歩けるようになる。

こういう風に躁鬱ではふたつの精神がぜんぜん繋がっていない。そのときに、自分はひとりの人間であるという意識を崩さざるを得なかった。それは幾人かの自分ということすら言えなくなってきて、幾人かがおれの「から」の器で、一時的に休息して通り過ぎていく。その器は大きな建築物ではなく、石山修武のもとでおれが研究していた概念「ゼロシェルター」〈7〉のイメージに近い。おれはそれで路上生活者に出会うことになる。彼らの作った仮組みだけれど、その人自身のハンドメイドの建物が、おれという骨格とか筋肉や思考によって作られたものだと思う。ただ、そこで寝泊まりしていくのは肋骨が皮膚の上から見えている犬や少し痩せ細った人間たちで、彼らがおれのなかに入っていく。それはおそらくほとんどが死者であり、まだ生まれていない子孫たちのような感覚で、血のつながりもあんまり関係ない。

南島　自分が建築であるという考えは坂口さんの活動を見ていると、とてもしっくりきます。自分の生活とは別に扱う対象として建築というものがあるのではなく、自分の全生活が建築であるということですね。それが、建築の原初的なモデルであるシェルターに重ねられている。とくに面白いと思ったのは、そのシェルターには死の気配が漂っていることです。

坂口　自分が建築になると死者が自分のもとにやってくるのだけど、それは喜びでもある。この前は石牟礼道子〈8〉の不知火忌〈9〉で、皆の前で娘と一緒に歌ったのだけど、二人ともぜんぜん緊張しなかった。娘が「なんで緊張しないの、パパ?」と聞いてきたから、「おれらがいまから喋る言葉は我々の言葉ではないから。それは石牟礼道子が亡くなる前に書いた詩を我々がからになって歌うんだよ。震えるのだ」と伝えた。つまり、我々は我々ではない。からの器であり、道子なんだよって。だから、あなたが歌えば、私が伴奏して私も横で歌うのだけど、そのとき我々は親子ですらなくて、ふたりの道子が合体して、ひとりの道子になって、もうそこには道子の声しかなくなる。道子の言葉しか歌ってないんだよ。我々はそこにはいないから緊張などしないでいい。我々が笑われるのではなくて、笑われるのは道子なんだから。ひとを喜ばせるために表現をする人たちの言葉は無視して思い切り歌ってごらんと言ったら、すごい声が出た。そのあとにどう？　と聞いたら、こんなに喜びをいただいたら、元気になるねって。

おれは正直、建築の神様が見えるんだよね。だから、安い家を見つけられたり、路上生活者たちと出会うことができた。だから、自分が建築になっていっているという感覚がある。おれは石山修武に「アルミやゴムの接合部分のジョイントがどうなっているかを描け」と常に言われた。おれはそういう訓練しか受けてない。一対一の矩計図〈10〉の世界しか見せられてない。しかも、おれは地面を掘ることができなかったから、図面が描けなかった。石山修武の事務所で一度も基礎図面を描いてないんだよ。だから、石山さんに毎日怒られていた。

その時はうまく答えられなかったけど、事務所で図面を描くと建物が建ってしまう。それはおれの神様に背くことになるから描けなかった。まだ民衆から私は建物を設計して良いという許しを得ていないという意識があったから。馬鹿正直だったんだよね。大林組でも伊東豊雄事務所でも、磯崎新アトリエでも、図面描かないやつはクビになる。でも、石山修武が最高なのはおれをクビにしなかったんだよ。

つまり何もしてない。つらいときはデスクに突っ伏していたり、元気なときはみんなにお茶出しして応援していた。事務所は地下にあって当時はサティアンに間違われたんだけど、おれが町内会の人と話すとすべて丸く収まっていた。だからおれはネゴシエーションの仕事をしていた。かつ、大理石の選び方や自邸の階段室の赤ん坊の肌のような大理石を探せというオーダーはおれに来た。おれはすぐに目星がつくわけ。イタリアのどこかの石のメーカーのカタログを取り寄せて、これかもしれないと思って石山修武にもっていくと、それが採用されたりするんよ。あとはおれが納得いかないから何軒も電話して見つけた道具類をちゃんと使ってくれたりしていた。そういうことが今回の個展にも生かされている。おれは展示を作るためのあらゆる仕事について、知らない会社に一個も頼んでないのよ。すべてゼネコンじゃない。みんながずっと通いたくなるような空間を作っているという意味では、今回は完全に建築作品なんだよね。

建築とは言語

南島　ふつう建築は空間が作られて、そこに生きる人々にある空間の体験があり、それを説明するための言葉があるというように、空間と言葉の関係があると思います。でも坂口さんは違いますよね。いまの語りがまさにそうなっているように坂口さんが発する言葉によって、われわれの仮想的かもしれない空間の体験が可能になっている。もっと言えば、空間なしでも空間を感覚することが目指されているようにも思います。

坂口　そもそも**建築とは言語**なの。それは近代建築もそうだし、重源〈11〉が東大寺南大門を作ったときも言語。千利休〈12〉の茶室もそう。全部、言語。おれは石山修武から「民衆から信頼を得ていないのに建築など二度と建てるな」と耳元でずっと呪文をかけられちゃったのよ。ほとんどのひとはそれを忘れて建物を建てる。みんな磯崎新事務所行きました、ヘルツォーク＆ド・ムーロン〈13〉行きました、あとはレム・コールハス〈14〉のところで働きましたとか、彼らは呪文を忘れているわけ。おれはいまだにその呪文を信じちゃっている。

「民衆が恭平さんに建てさせたい、恭平さんじゃなきゃもうできないよ、というまで文章を書くんだよ、おまえは死ぬまで」と石山修武に言われたから。おれはその約束を守っているだけ。

でも多くの人はそれだと食っていけないという。おれからしたら、それは建築の能力がないとしか言いようがないのよ。そういうことができないから、食ってはいけないという世界に降りていくしかないのだけど、訓練をすることでそういう能力を身につけられることを端から信じてないわけ。だから、おれと同級生や後輩たちが話すと最後には過呼吸になって泣かざるを得なくなる。こっちは正直者でやっていて、向こうが嘘ついてきた全部が、地獄の熱された水のあぶくみたいに噴き出てくる。本当に地獄に落ちると思っちゃうらしい。だから、怖くておれには会わない、誰も。

南島 (笑)。

坂口 でも、本当に澄んだ心を持っていたら、おれに会えるじゃん。だっておれは純真だもん。小学校一年の時に「命のおかわりはありません」と言われたことをいまだに信じちゃってる。それがいのっちの電話をやる理由だよ。それで、おれはこのまえ、石山修武に電話してこう言ったの。あなたが私に呪文をかけたって、それをいまだに私は守っている。いのっちの電話というサイトは年間一万人のシェルターになりました。もう一〇年続いているから、一〇万人以上の人がそのシェルターの中で一夜を過ごすことができた。おれはそれを実現したし、掛かったのは電話代だけ。お金のないひとにはだいたい三〇万円払えば元気になることを知っているので、いまのところ一〇人以上、三〇万以上振り込んできています。四〇〇、五〇〇万の事業費はかけましたが、それも石山修武がいろいろ経費について教えてくれたから、じゃあみんな坂口恭平劇団の劇員ということにすれば、ぜんぶ経費として落ちるので、日本国に入る税金の中から三〇〇〜四〇〇万を自分の守ろうとした人たちに入るようにお金の流れを整理している。これもすごく建築的な行動だと思うので、今後の一〇年、二〇年の建築について話したくて電話しましたって。

　でも、そのあと気が向かなくて、伊勢で石山さんと会う約束だったのをぶっちしちゃった。おれの鬱は素敵で、こんな大事な師匠との会合を断れるんだねって家族は拍手して褒めてくれた。でも、おれはそれができる。また会ったら弟子として関係して、実物の建築にかかわるプロジェクトに参加しないか、という話にもなったりする。

南島　石山さんから言われた言葉の先に坂口さんの活動があることがはっきり分かりました。とはいえ、石山さんは民衆を理解させたあとには、ちゃんと物体としての建築を建てるわけですよね。坂口さんはそこから物体を抜いてしまって、民衆の理解を得るための言語だけで、建築を作ろうとしている。そこが石山さんと坂口さんの最も大きな違いであり、坂口さんの建築観にとって決定的な部分だと思います。

坂口　そうよ。クルト・シュヴィッタース〈15〉のあとにロバート・ラウシェンバーグ〈16〉がそれをパクって超えたように、おれもぜんぶ石山修武のパクリなのよ。だからこそ、石山修武を超えないといけない。結局、石山さんは建物を建てるという結論と自己愛の泥沼に入ってしまったから、誰の批判も受け入れられなくなっている。

南島　それは石山さんが物としての建築をつくるなかで、ある種の孤独に苛まれているということですね。

坂口　もちろん孤独なんだよ。みんな、なんでおれが孤独ではないのかを研究しなきゃ。熊本の個展のオープニングに関係者は誰も来ず、誰からも名刺をもらわず、次回の展示の話もなく、ただ日本全国からおれの絵を買ってくれた人が自費で参加してくれた。二〇〇人。それがおれの個展。つまり、知らない人が一人も来てないんよ。良い悪いじゃなくて、それがおれの建築なんよ。だって、新築祝いに変なやつ来るか？　来ないじゃん。同じ村の人がみんな喜ぶじゃない？　しかも、おれはオープンに門番をつけずに来た人はみんな通せっていったのよ。なのに、こうだったのよ。あとはおれのご飯処を作ってる人たちが仕事の合間に来てくれた。おれはこういうのも面白いなと思うし、おれは感涙してしまう。

これが現代美術の終焉だし、そのときにおれは現代美術じゃなかったと思った。日本の現代アート界では奈良美智〈17〉と草間彌生〈18〉と五木田智央〈19〉が一番売れているけど、もしなんか世の灯火が消えた時にこの三人が手を挙げたとして、だれかいくか？　そもそも彼らは声をあげないよ。でも、おれは違う。古代ギリシャからずっと続いている芸術だから、ほぼ医療と一緒。**人を助けるためのシェルター**、それがおれにとっての建築。

建築と医術と芸術は全部もともと一緒だった。もちろん、それぞれ得意なものはあるから、それこそ千葉雅也〈20〉さんだったら哲学を元にして考えるし、おれだったら、大学四年のとき、先生におれは力学的な構造物で生きてませんから、音楽的な構造物を作ることができるんですと言って、ふざけんじゃねえお前と怒られていた。けど、おれはいま非常に音楽的な状況を実現しているつもり。しかも後ろからも前からも撃たれてもいいように電話番号まで公開している。つまり一応、神様の前で、命を差し出している。

南島　坂口さんの特徴はとにかく原理的であることで、いわゆる現代建築や現代美術のゲームのなかでどう生きるのかという問いとは根本的に別の場所で、生き延びる方法を考えられています。だから、あまりに真っ当すぎるわけですが、その原理論を実行するために、坂口さんはいのっちの電話を開設して、自分の電話番号を公開している。それは電話のかかってくる時間だけではなく、かかってこない時間も含めて、まさに身を世の中に「差し出している」ことになっているのだと思います。自分の意識していない時間まで、建築化しようとしていると言ってもいいです。

坂口　もうおれは無意識建築なんよ。無意識だけど、夢ではないんだよね。

南島　無意識と夢は別物なんですか？

坂口　ふたつは違うと思っている。無意識は自分でないけれど、なんらかの意識ゼロ状態。そこでもゼロシェルターと同じで、ゼロという概念が出てくるんだけど。中沢新一〈21〉が、おまえは零度運動のトップリーダーであると言っていた。最近、大本教の方々もおれが出口王仁三郎〈22〉の器好きだって言ったら、会いにきてくださいと言われたりした。自分の動きのなかでそういう宗教的なものも色々と予感するんだけど、でも、おれはどこにも行かないし、だれとも手を繫がない。そういう風に自分をどこと接合させるかを考えるのも**建築的な思考**なんだよね。

　おれの場合は接合部分、断面、それらはセクションというのだけど、おれの仕事は全部、セクションを見て欲しい。セクションにすると音楽や建築や文章がいかにいのっちの電話に絡んでいるかが分かると思うし、近所の人たちとの普通の会話から、今回の個展に協力してもらうお願いをする感じから、おれが展示用の熊本の観光地図を書きながらみんなが満席になりましたよとお礼を言うところから、全部おれの中でセクションなんよ。その断面図から何か見えることがあるのかなと思うけど、それを評論できるやつはだれもおらんから。

南島　その接合部分＝セクションへの関心は、もはや坂口さん自身によって十分に言語化されてしまっている気がします。

坂口　たぶんおれがぜんぶ評論できるよ。だれがなにを聞いてもぜんぶ答えられる。でも、おれのことただの気のいい兄ちゃんと思っているやつもいっぱいいるみたい。最近、「恭平さんって物事考えてるんですね」と驚かれることがあって、おれもすげえところまで酔拳ができてるなと思った。

全部の所作においてすべて考えているよ。それがわからなかったら、あれだけの文章を書けんやろ。もっと言うと考えなかったら、あの取り憑かれた人間が書いたような文章を推敲せずに出版なんてできんのよ。それもおれのなかでは建築的行為で、年間一万人もいのっちの電話に出たら発狂するのが、いわゆるわかってないやつ。わかってたらちゃんと戦えるから。

いのっちの電話では「ああ、そういう対応するならいまから死にますよ」と言葉の刃が毎日おれに来ているんだよ。おれは「別にいいよ、死んでもおれが悲しむだけだけど、おまえが明日電話してきたら、おれは出るよ」と伝える。周辺の大人たちとの付き合いがそういう結果を生み出したからね。そのひとたちは「はい、私死にます」といって、だれも追い掛けてくれなかったひとたちなのよ。だからひとりで寂しくベッドの上で死ねるはずないじゃん。悲しすぎて。

でもおれはいつでもお前が電話するなら、門は開かれるって言う。要するに自分の意志をもてよってこと。意志をもつなら、一緒に飯を食ってもいいし、金がなかったらいくらでも払う。その代わり、おれが何かする時には命かけて行動してくれと言うのだけど、別にそこは気持ちだけだから契約しろとは言わない。そういうつもりで生きている。

おれはいつも世の中を変えようとは思わないと言っているけど、ちゃんとあなたにも建築空間をつくることで、同じ屋根の下にはまったく異なるルールをもった、**オイコス・ノモス、つまり新しい家計の感覚をもった経済**を生み出すことができることは伝えたい。

南島　坂口さんは『独立国家のつくりかた』で「態度経済」という言葉で、いまの現実を多重化して、ひとつに見えた現実に別のレイヤーを発見するための解像度を高める方法について説いていました。坂口さんが、いのっちの電話でやっていることも、単純にある人を救うということよりも、その人なりの経済圏をつくり出すための意思確認なのだと理解できそうです。経済圏をつくることは、長く生きるために必要なものですね。それがその人のシェルターの原型といえるかもしれません。

坂口　いまおれは高橋睦郎〈23〉さんとしか話してないんだけど、本当におまえはルネッサンスの男だと言ってくれた。きみにはロゴスとパトスがあって、それを三六〇度駆使して生きているって。彼からオイコス・ノモスだけじゃなくて、古代ギリシャのことをすべて学べるわけよ。彼が一番調べていると思う。その奥には石牟礼道子がいる。ある意味で、おれは彼女のことも建築だと思っている。彼女の作ったものもシェルターだから。

それを守るための近代建築の屋根を作るのが渡辺京二〈24〉なんだけど、そんなのは本当はいらない。うちらにはコンクリートブロックのコルビュジエ〈25〉の屋根みたいなのはいらないのよ。おれはコルビュジエもフランク・ロイド・ライト〈26〉も実物を全部見ている。

ミース〈27〉もチェックしたし、ガウディ〈28〉も見た。いまガウディは新興宗教と付き合って大変だよ。今の建築も残すとなった時に大変なことになったりしているわけ。最終的に金をもったやつしか残っていないというのが現状。それが近代建築の結果で、資本主義と縁を切っては存在できない。

だけど、いまおれには熊本市からいのちの電話に手助けをしてくださいと業務委託の相談がきている。そうしたら三億円ぐらい予算として入るわけじゃん。それを元手に年収五〇〇万ぐらいで電話番やってくださいと色々なカウンセラーを雇えるわけだけど、それをおれはやらない。それをすると建築ではなくなってしまうから。地面を持ち始めるし、基礎が固まり始めて、音楽が消えてしまう。

おれは**音楽の消えない建築**というのを徹底してやっているのだと思う。それをやっても、たいがいみんな落ちぶれていくから、もう我慢比べなんだよね。なにもできなくなって、鬱にやられてしまうか、お金がなくて家族が離れていってしまうか。そんななかでおれは毎年、家族のフーとアオとゲンに五〇〇万ずつ給料を払っている。おれを守ってくれてありがとうという気持ちを込めて。

南島　なるほど。それもお金の交換としての経済ですね。いわば、みんなのシェルターとしての建築である坂口さんを守るためのシェルター代。

坂口　そう。おれのシェルター代として年間一五〇〇万円のランニング・コストを払っている。それも三年目になる。そうすると子供たちも責任感をもってくれるし、喜びを感じてくれるんだよね。私たちが仕事していたと言ってくれてありがとうと。おれは子供だから仕事を教えようとかは一度も言ったことがない。これを嘘でいったら、子供にはすべてばれるから。でも子供たちから学んだことをまたおれはテキストで残すわけじゃん。そうして一周回って、彼らがそれを読んでいく。おれのなかではそうした営みも建築なんだよね。だから、おれほど建築人間もいるのかと思ってるぐらい。

雑ではないこと

南島　今回は建築についての話ですけど、一般的な意味で「建築やっているひと」は、坂口さんの（ぼくからみると）きわめて原理的な活動をどう見ているのでしょう。

坂口　建築やっているひとの話は、もう建築やってないひとは入れない議論になってきてるよね。みんな家賃を払うことしか頭にない。本当は建築を考えるときにそれしか頭にないのはやばいんだよ。でも、もうみんな生活できつきつ。だけど、おれと友達になったら、家賃が払えなかった分はおれが全部補填してんよ。そしたらもう心配ないやん。いまはその心配ないという感覚がないよね。逆にいうと、安くあがれますとか、ここだと0円で住めますとかならありえるよ。でもおれの言っているゼロってそういう意味じゃない。これまで実験して見せてきたから、わかるでしょう。0円ハウスや路上生活者の生活だったり、本当に無償であることの意味とか。要するに無償っておれが払うってことなのよ。そういう部分を勘違いしている人が多い。自分たちに事務能力がないから経済能力もないわけじゃん。そういう人たちが王様のように建築家になっていくとおかしくなるよね。

もちろん何でも無償でできるということではなくて、ちゃんと計算して、おれがもってきたものを分配できるようにする。おれは自分と仕事したひとにはそのひとの月収の倍払うんだよ。払ったら、本当に仕事するのって愉しいですねって言ってひとは変わる。時間が来たから帰りますみたいな人はだれもおらんかな。おれはそれを示すために熊本の個展の会期中は朝から夜八時まで美術館にいてみようとも思っている。そうしたら、ここが自分の住んでいる場所だってみんながどんどん感じられるはずだから。これも建築的体験。美術館のなかに入って心が落ち着いたら、もうおれにとってそれは建築なんよ。

南島　同じ作家でも絵を描くひとと話していると、彼らにはいつか死んでしまう自分の身代わりとして作品を制作するというすごく根源的な恐怖みたいなものを感じることがあります。だけど、いま話していても、坂口さんには自分の創作物に対する、そういう意識はほとんどないですよね。自分の身代わりとして作品を作っているわけではないのだと思います。鬱の時は死に接近しつつも、死に囚われていないというか。いま生きている、坂口恭平という存在のなかにすべてがある。

坂口　今回の個展でみんな気付いたかもしれないけど、パステル作品の表面には一枚もサインしてない。つまり名前がないんだよ。やばいと思わない？　みんな必死にアートフェアして、ある絵画にＴＩＤＥ〈29〉とかロッカクアヤコ〈30〉とか書かれているものを買っているけど、おれはいつもちょっと待てよと思う。それ、お前ら全部手玉でころころされてるだけで、灯が消えても動けなくて売れませんでした、もう終わりますみたいな感じになるだけじゃん。

でも近代絵画だったら、もとは違ったからね。モネ〈31〉だって自分の株式会社をもって、自分たちで言語を持とうとしていたと思うし、アメリカの抽象表現主義の作家たちだって同じような考えをもっていたと思う。おれは近代美術を否定しているわけではないからね。いまの世界があまりに生き延びることに精一杯すぎて、あとは雑でいいんじゃんと思い過ぎているように見えるというだけ。でも雑では建築は作れない。**おれのある種の強さは、**

雑ではないことにある。みんなからは雑でしかないと思われているかもしれないけど、本当は雑ではないんよ。

南島　サインをすればいいと思っているのが雑だってことですね。ふつうはそれがいいとされているけど、逆なんですね。

坂口　そうなんよ。雑なんよ。藤森照信〈32〉さんの建築の実物を見ずに、藤森さんがすごいと言っちゃうようなものよ。藤森さんの建築って本当に張りぼてなんよ。なんの心も打たないよ。高台寺の茶室、傘亭《からかさてい》〈33〉を見た時とはすべて違うんだよね。おれ一人で見ながら、本当になんて建物なんだって泣いちゃうわけ。石山修武にはそれがあるんよ。建物にはじめて出会ったという、なんか金の匂いは当然しないけど、人間の匂いがするというかね。でも、しょうがないよ、もうみんなそういう人たちに敬意を払わなくなってしまってるんだから。石山修武がやろうとしていること、藤森さんがミスっているけど、歴史家だから分かっててわざとやっていること。でも、おれはそんなコンテクストはどうでもいいわけ。やっぱり、建築ってひと肌に触れる場所だから。そこにいかにデリケートにいられるかどうかというのでは、全然違うような気がする。だから、ぶっちゃけ誰とも話が合わない。みんな見て触れてないのにいいっていうわけじゃん、いまは。それこそデータでいいんでしょう。

南島　はじめに坂口さんがおれには建築の神様が見えると言っていましたけど、いまのひと肌のぬくもりがある建築の体験とはどう関係するのでしょう。石山さんの人間の匂いがする建築や路上生活者のつくる住居といったひと肌を感じさせる建築と、神といって思い浮かべる天上に存在する何かは互いに対極にあるものにも思えますが、坂口さんが人間の空間やそれこそオイコス・ノモス＝家計のなかに見る神とはどんなものなんですか？

坂口　おれの神は、「細部に神が宿る」の神なのよ。

南島　ああ、神は接合部に宿るんですね。

坂口　そう。接合部にメッセージが隠されているし、それを読み取るような行為が芸術への道の第一歩でしかない。ジャスパー・ジョーンズ〈34〉の作品の表面がなぜ蜜蝋のようなものなのか。美術を見るってそういうことだと思うんだよね。フランシス・ベーコン〈35〉もいいけど、時期によってはだいぶ落ちてきたなとか正直にあるわけじゃん。ポロック〈36〉はまだいいのだけど、まだ近代だなとか。現代の絵画でそういう人がいるのかは分からない。接合部の評価でいったら、梅ラボ〈37〉ぐらいじゃない？

南島　ああ、そこ来るんですね。

坂口　梅ラボは好きというか、なんかすげーって思ってるんだよね。

南島　それは坂口さんの関心としては一貫していると思いますよ。梅ラボは坂口さんが影響を受けた大竹伸朗〈38〉の系譜にも位置づけられる作家ですし。

坂口 そうそう。でも大竹さんはさっきまでのおれの接合部分の話でいうと、もうだるだるなんだよね。公民館建築みたい。

南島 そういう批評の仕方があるんですね……。

坂口 一応、建物だけど、建築ではない。ひと肌といっても、それではないような気がしますみたいなこと。やっぱりヴィトゲンシュタイン〈39〉もがんばって建築作ったりしているわけだから。そういったものも広い目で見たいし、一歩でも二歩でも下がってみたいし、近づいてみたいし、そして自分の無能さに気付いたら、ちゃんと手を挙げて言いたいしね。

やっぱ、おれは強いというか、弱いってことでもあるんだけど、ちゃんと**自分の無能さを知っている**。おれは無能だもん、誰よりも。だから細部を見なきゃいけない。細部にそれぞれの神がいるからね。やっぱり、本当にミースはすごいんだ、フィリップ・ジョンソン〈40〉はちょっと落ちるんだ。でもフィリップ・ジョンソンのなかにも良さはあるし、でもそれは実物を見ないとわからんから。だけど面白いよね、そんなことを普段はひとことも言わないんだよな。でも、おれのこの側面も見せた方がいいかなと思って、南島くんを使ったようなところもあるな。これがおれの建築だよ。たぶん南島くんなら、一応、こういう話に頷くぐらいはついてくるかなと思ったから。おれと会話できるやつがおらんのよ。

ゼロにしていく仕事

南島　そんなことはないでしょう。

坂口　だれがいる？　まあ、藤村龍至〈41〉はおれのなかで唯一、話のできる建築家ではあるから、すごく重要だし、石上純也〈42〉も好きなんだよ。本物だと思ってるんだけど、もうちょっとテキストも書けんかなとは思ってる。

南島　どういう意味ですか？

坂口　テキストはその人間がやっていることが嘘かそうじゃないかを一応表明するもの。石上さんはまだぎりぎりそこが怪しいじゃん。オーダーをデザインすることでみんなを驚かせることができちゃう。つまり、オーダーをコントロールすることができてしまう。もちろん仕組んではないにしても、非常にデザインしているとおれは感じるわけ。ヨーロッパ的だとも思う。でもそれでは民衆は助けられんのよ。全部、それ資本主義じゃない？　**建築は本当は資本主義とは関係ない。**灯が消えないような場所で雨風をしのげて、気持ちよくて仲間がすぐ近くにいて集まれるような場所。なんでそんなふつうの建物をだれも建てんのかね？　それを実現できているのは、おれのいのっちの電話だけやない？　一円もお金かからなくて。お金がなかったら、むしろこっちから振り込むぐらいの感じで。みんないつでもなんで恭平さんは電話出てくれるんですかって言うわけよ。どんな社会？　この社会は。

　おれしかいないなんて、建築家しっかりしろよと思うんだけど、そんなの建築家に言っても、「すいません、明日スペインの現場を見ないといけなくて」とか言う。おまえらスペインはどうでもええから周辺の練馬とか、そこらへんで建物をうろうろ見ろって言ってるんだけど、磯崎新以降は本当に馬鹿になっちゃった。いや、増沢洵[43]とか清家清[44]はさすがにそういう人ではなかったと思うよ。本当におれはたぶん近代以前ぐらいの感覚をもっている。江戸末期ぐらいのひとはそうじゃなかったはず。

南島　大竹伸朗や赤瀬川原平[45]の限界というか、ゆるさを坂口さんがすうと抜けていっている感じはありますよね。お二人と坂口さんの違いは一種の「趣味」との向き合い方かもしれません。

坂口　彼らも結局は権力。それに建築は美術以上に権力とはすごいリンクしている。ただぶっちゃけると、おれも権力行使してるわけ。おれに電話しろっていうのは、権力行使だよ。

南島　言語的な権力行使ですよね。しかも無料の。

坂口　そう。だから、おれは「無料です」とか「折り返します」とかあえてはっきりと言っているわけじゃん。それはあまりにも権力が強すぎるから、ゼロにしないといけないという意識がある。ぜんぶゼロにしていくというのが、おれの仕事なんよね。何か権力であるとか名誉であるとか金銭をもち始めたら、一応、おれは年間五〇〇万ずつ家族に払っているという方法論をみんなに伝えるようにしているわけ。自分の口座に全部入れているわけじゃないんだということね。これが権力との付き合い方。

南島　だから、『お金の学校』を書いて、坂口さんの経済的な内実を開示する必要がある。

坂口　そうなのよ。でも、これが資本主義なのかどうかわからないわけよ。「恭平さんー」、「旦那旦那ー」と言って、お金がどっと集まってきよる。

南島　前近代的ななにかの集金システムですね。

坂口　それも何か贈与が行われているというか、そういうことも非常に慎重に扱わないといけない。

南島　そうですね。そっちにはそっちの法があるわけですからね。資本主義システムではないからこそ、センシティブにならないといけない。

坂口　ぜんぶ顔が見えているからね。顔が見えているところで、おれは株もったらやばいわけよ。だから投資もしない。もう一歩間違えれば、ホリエモンとかと変わらないと思う。自分の絵画とか、いわゆる自己投資に賭けているからいい感じだけど、もうぎりぎりだよ。つっこもうと思えば、いくらでも穴はあると思うけど、でも不思議とつっこむひともいないことが面白いよね。なにより、おれは相変わらず元気に生きてるもん。畑も始めたら、生活の豊かさが半端ない。そうやって、おれはみんなに豊かさを見せつけているつもりだよ。苦しかったら熊本に来て、お腹空いたら食べればいいんだし。おれに共感するのはやくざぐらいなんよ。そっちのひとから、先生と言われているから。それはそれで関係しすぎると危ない。だから、おれが暴漢から襲われた時に一瞬で、そいつらを殺す方法だけを教えてもらった。しかも、おれはそれをいじめられているひとたちに教えまくってる。

南島　それもゼロに戻すということですね。

坂口　そう。そしたら、その子らもいじめの現場にいけるようになった。それはすごいことじゃん。まだ話したいことはいっぱいあるし、本当は黒板書きながら、こういう話をしながら講義をしたいよ。うわ、やればいいじゃん！　坂口恭平のバックミンスター・フラー〈46〉ばりの二四時間、残る人がゼロになるまで続ける講義。やってみようか！

南島　いいですね。熊本でですか。

坂口　熊本だよ。おい、南島、**革命は離れたところからしか起きてないぞ。**過去の革命を調べてみろって。離れろって。でも離れたって、怖いぜ、根無し草で生きるって。じゃあ、ルーツに戻るしかないんよ。

南島　熊本に戻ってからめっちゃルーツに戻ってますよね、坂口さん。

坂口　そこでさらに先祖めぐりをして、ルーツである母ちゃんやおじいちゃん、おばあちゃんが知らない世界まで知って、ぜんぶ文に収めているわけ。これはもう石牟礼道子がおれに教えたことなんだ。それは建築なんだ。とにかくそうやって、みんなが穏やかでいられる場所を作れと、おれは本当に道子から耳で聞いたんよ。おれはたぶん二代目石牟礼道子なんだよ。

南島　なんちゅう話なんですか。

坂口　しかも、二代目吉阪隆正〈47〉でもある。最初、実は石山修武に会いたかったわけじゃないんよ。吉阪隆正に会いたかった。おれが高校三年生のときにはじめにしっかり読んだのが吉阪さんの本だった。研究室で、吉阪隆正に学んだ卒業生と大学の同級生だった人と母ちゃんが友達で、おれが早稲田に受かったときにもらった土産が『吉阪隆正の方法』。この本がおれの活動のもとにはある。一七歳、一八歳のときにおれがここまで考えてたんだよと思う。はっきりいうと、ここまで予定通り。だから、これまでなんと言われてもなんにも気にしなかった。０円ハウス研究者ですか？　とかモバイルハウスってどうするんですか？　DOMMUNE出てどうするんですか？　音楽やってどうするんですか？　なにも気にしなかった。

なぜなら、おれには見えていたから。なにも不思議なことは起きてない。ただ、そこから共同体をつくるまでの橋が見えてなかった。どうしたら共同体を作れるのか。でも、それはおれが作るしかないんよ。だれもまだ実現していないから。でも実現してないことに向かうことこそ、ある程度、鍛錬を積んだ人間がつぎに目指したいと思うどきどきわくわくだと思う。おれは鍛錬を積んだと思う。だから、なんでも教えたいよ。

わかんないことがあったら、アーティストでも音楽家でも、建築家でも、文学者でも、おれもう全部話せるように経験を積んだ。あらゆるすべての経験を積めというのは、レヴィ＝ストロース[48]からの命令なんよ。あらゆるすべての経験をしないと良き酋長にはなれないから。『悲しき熱帯』の第7部の29「男・女・首長」を常に読み続けてほしい。

「首長の政治力は、共同体の必要から生まれたものではないように思われる。むしろ集団の方が、集団に先立って存在している首長になるかもしれない男から、集団の形や大きさや、さらには形成の過程など、一定の性格を授けられるのである」

「どのようにして首長は、これらの義務を果たすのであろうか。権力の武器として、まず第一に、そして最も重要なのは気前の良さである」
「器用であることとは、知的な面で気前が良いことである」
「良い首長は、物事を率先して巧みにやって見せなければならない」
「首長は同時に医療師で、また呪術師でもある」
「首長は同時にシャーマンであり、前兆の夢や、幻影や、忘我の状態や、人格の分裂などに関わりをもっているのである」

＊引用はレヴィ＝ストロース『悲しき熱帯〈II〉』（訳：川田順造、中公クラシックス、二〇〇一年）より

アーカイブ・ザ・デッド

坂口　東京で鬱がひどくて自殺しかけていた時、頭の中でこの生死の境を乗り越えない限り、おまえは酋長になれないと言われていた。あまりにやり方が違いすぎて、世間からは放棄されるだろうとも。でもあなたにはいつかとんでもない理解者が現れるとも言われていた。それが熊本の石牟礼道子だった。あとにも先にもそんな関係のひとはいないよ。渡辺京二

ともぜんぜん違う。だから、石牟礼道子を忘れないでほしい。ときどき胸騒ぎがしたら、『十六夜橋』が文庫にもなってるから読んで、おれの言葉と照らし合わせてほしい。やっぱり、これが勉強。おれが勉強しなかったというのは嘘であったよ。勉強しているやつが勉強していると言わんやろう。ちゃんと勉強しろと若い者には言わないといけない。本当におれらの下の世代で本を書けているやつがいないんよ。

南島　書いている人はいますけどね。

坂口　いや、おれからしたら、本八〇〇冊書くっていうのが本書くってことだよ。二〇ー三〇代後半で勉強しているやつが少なすぎる。おれらの世代も少ないんだけど、でもせめておれと磯部涼[49]と千葉雅也、石川直樹[50]もおるで。みんなある程度、文を残して頑張ってるじゃん。だから、プレッシャーを与えるわけではないけど、そういう意識をもってやらないと。

なんでおれに教えを乞おうとしないの？　おれはだいたい知ってるぞ。これはお金の学校じゃなくて、心の学校なんよ。「こころ」に「がっこう」で心学校《しんがっこう》やろう。おれ以外にはできないから。おれが誰かとここで対談とかはできないから、南島がホストとしてやるしかない。ほかのやつはおれと競り合おうとするから。おれは助けようとしているだけなのに。いま聞いている五〇〇人の生徒たちに言おう。困ったら、おれが全部助ける。その代わり、困ってるときは困っていると言ってくれ。自分だけは苦しくないんだとか思わないでくれ。ここは地獄だから。そう一回認識してごらん。地獄からどう出るかじゃなく、地獄でどう楽しく生きるかを考えよう。

南島　ロジェ・カイヨワ〈51〉も似たようなことを書いていました。カイヨワにとって、現実はジャングルで、予期せぬ不幸が襲ってくる場所でした。安心のできる現実の生活の外に脅威があるのではなくて、日常こそが地獄。その地獄から離れた空間が遊びの発生する場所と考えられます。

坂口　へえ。おれが大学時代のレポートで人生初の参考文献に記したのがカイヨワだった。カイヨワの遊びの本のなかに四文字で「深い遊び」って書いてあった。おれはこの深い遊びが建築にしないといけない一番重要なエレメントだと言って、ほかのひとは全然伝わらなかった。けど、石山修武からだけは、おまえは芯だけ当てて大ぶりで全部ファールになる、おまえもう何なんだって言われた。それが大学三年生のとき。

石牟礼道子もそうだし、カイヨワもそうだけど、ここで出てきた人名や参考文献はぜんぶ南島くんが註に書いて残してほしい。それでみんな自腹で買って読まないと。それこそ、いまの資本主義トップのひとびとが何をしているかといったら、みんな全部、アーカイブを手にしてるんだよ。でも、おれはそれと違うことをしている。いわゆる、アーカイブはアーカイブなんだけど、ザ・デッドなの。アーカイブ・ザ・デッド。死んだ人のすべて形に残らなかったふるまいの動きとか、膝の曲がり方の流線形とか、街や建物がなくなっても、おれのなかでここに生きていたひとの動きはなくならないという実感が強かったんよ。だから、そいつらの動きを頭のなかで思い浮かべることができた。それは記録に残らないもの。でも、おれのなかには残らない記録が全部アーカイブされている。それは、みんなに声で聴かせることしかできない。振る舞いといったときの感覚とか、わかる？　いま南島にこれをやれって言ってるわけじゃん。心学校作れと言って、『お金の学校』以来の学校を作っちゃったわけよ。心学校は、金を集めてなんとかじゃなくて、みんなの心をひとつにする実験なんよ。

南島　ああ、なるほど。でも「心をひとつにする」のは何かまずいというか危ない気もします。

坂口　そう危ない。おれは声でマジックができるから。でも、なぜ危ないと感じるのか。おれは中沢新一にそれを考えろと言われた。そして「インドラの網」を読めと。心学校は出版する。おれは印税ゼロでいい。南島に全部ゆずる。おまえを助ける。そういう振る舞いを見てほしい。おれはそのために無償で働く。無償の愛だよ。でも、ここで真実の演技をやるから、おれにとってはそういうネガティブな部分がないと、危ないんよ。やったらまずいから、あんまりやってなかったの。また、なぜまずいのか？　という問いにきた。

南島　それは心学校の重要な問いですね。

坂口　これはできる人だけの宿題だけど、「なぜ、心をひとつにしてはまずいとひとは感じるのか？」それを原稿用紙五枚二〇〇〇字でまとめてくれ。自己申告レポートだから、届いた分は全部読んで赤ペンをいれる。無償でやろう。これが、おれが次にやらないといけない教育。いま四八三人いる。一秒もブレずにみんなちゃんと聞いてたよ。これが、言葉が届くということだから、メモしておいてくれ。うちらの心学校のメンバーは四八三人。

南島　心学校が開校しましたね。

坂口　次はいつやるか分からないけど、時が来ないときはやらない。でも、いま動きが生まれていて、頭のなかに六〇〇枚ぐらいの原稿があるから、たぶん原稿執筆のように毎日やっていくんじゃないかな。全部聞かなくてもいいし。南島が疲れたときはおれひとりでやるし、でもできれば、南島くんだけは付き合ってほしいな。それで、これは南島の著作として出していい。タイトルは「心学校〜坂口恭平の言葉」かな。

南島　「ブッダの言葉」や「超訳ニーチェの言葉」のようなまた危うさがありますね。

坂口　まあ、ちょっと宗教についても研究しよう。でも、宗教は何かではないと思う。おれが石牟礼道子から言われた言葉を話して、終わりにしよう。

「すべての事実が書かれた小説があるでしょう？」

そう、おれは自殺しようとする寸前に夢の中で石牟礼道子の声を聴いた。

「すべて日時、場所を明確に指定した本当の小説があるでしょう？」

「神話ですか」

「当たり」

渡辺京二の遺言が、「おまえは次に神話を書かねばならない」だった。あのふたりがおれに熱をあげたただの馬鹿か？　今日は、この辺にしておこう。

〈1〉**石山修武**

1944年生まれ。建築家、早稲田大学名誉教授。処女作は1975年の「幻庵」。坂口は高校二年の時に建築雑誌でその存在を知り衝撃を受け、『バラック浄土』（1982年）を読み、建築家になることを決意する。1996年の磯崎新がコミッショナーを務めた第6回ヴェネツィア・ビエンナーレ国際建築展では金獅子賞を受賞。主な建築にリアス・アーク美術館（1994年）、自邸の世田谷村（2001年）などがある。また建築、テキスト執筆のほか、銅版画など美術作品の制作も長らく手掛けている。

〈2〉**建てない建築家**

建築家にとっての建てる行為を一度、資本主義のシステムから切り離し、原理的に建てること、住まうこと、生きることを思考するための坂口のコンセプトである。もともとは坂口が大学で建築を学ぶなかで抱いた、すでに都市に建物が余っているのになぜ新しく家を建てる必要があるのか、またなぜ人間は建物を建てる以前に土地を所有できるのかという疑問に始まり、それ以降はルポルタージュ、小説、日記、また死にたいと思う人から電話を受け付けるいのっちの電話などを通じて、言語による建築行為、すなわち建てない建築を実践していると言える。

〈3〉新政府内閣総理大臣

東日本大震災後の政府による対応に疑問を持った坂口が、その現状を無政府状態と捉えて、芸術活動として立ち上げたのが新政府であり、坂口はその初代総理大臣に自ら就任した。原発事故による放射能被害を避けるために移住した熊本で見つけた日本家屋を「ゼロセンター」と名付けて、多くの疎開者を受け入れた。具体的な活動としては熊本に無料で福島の子供たちを招待する「0円サマーキャンプ計画」や自殺者ゼロを掲げた政策を実行するために、自らの携帯番号を公開して、新政府いのちの電話を開設した。これは現在、いのっちの電話の活動へと引き継がれている。

〈4〉『現実宿り』

河出書房新社より2016年に出版された坂口恭平の5冊目の小説。砂が主人公の作品で、題名は雨宿りから着想された。第4作の『家族の哲学』までは路上生活者や身の回りの家族への観察に基づいたルポルタージュ的、もしくは日記の延長線におけるスタイルで書かれていたが、『現実宿り』では突然のように砂が語り始める。いわば事物の小説である。それは坂口によれば、鬱のときの内的なイメージや状態の観察に基づいているという。本作の特異性はそうした坂口のまなざしの向かう先の変化にあり、その後の坂口の『けものになること』や『建設現場』での小説執筆につづく分岐点となった作品と言える。

〈5〉**斎藤環**

1961年生まれ。精神科医。特に思春期・青年期の精神病理学と「ひきこもり」治療を専門とする。またそのほかに映画、現代美術、サブカルチャー批評なども多く手がけている。精神分析学からヤンキーのアイデンティティのあり方を論じた『世界が土曜の夜の夢なら』（2012年）や與那覇潤との共著で小林秀雄賞を受賞した『心を病んだらいけないの？ うつ病社会の処方箋』（2020年）で知られる。また近年では「オープンダイアローグ」の日本への紹介に尽力する。坂口恭平との共著として『いのっちの手紙』（2021年）がある。

〈6〉**磯崎新**

1931-2022年。日本のポストモダン建築の実践者であり理論家。丹下健三のもとで学び、独立後は大分県立大分図書館（アートプラザ）を皮きりに大阪万博お祭り広場、つくばセンタービルなど手掛ける。またコミッショナーを務めて、金獅子賞を受賞した第6回ヴェネツィア・ビエンナーレ建築展では石山修武と宮本佳明、写真家の宮本隆司を選出し、阪神淡路大震災によって露呈した都市インフラの脆弱性を「廃墟」として現出させた。廃墟は磯崎の建築を貫く重要なテーマのひとつである。

〈7〉**ゼロシェルター**

坂口恭平が大学卒業後に石山修武に呼び出され所属することになった石山修武研究室で命ぜられていた建築研究のコードネーム。ゼロコストで人間が生きることのできるシェルターを考案することが目的であり、のちにその実践として、坂口は自殺者ゼロを目指す「いのっちの電話」を始めることになる。

〈8〉**石牟礼道子**

1927－2018年。詩人、小説家。熊本県天草に生まれ水俣で育つ。水俣病患者の実情をまとめた『苦海浄土――わが水俣病』（1969年）で知られる。主な作品に『西南役伝説』（1980年）、石牟礼の全詩集『はにかみの国』（2002年）などがある。2002年には故郷の不知火を舞台とした新作能「不知火」を発表している。坂口は熊本移住後に石牟礼と親交を深め、生前には石牟礼の詩「海底の修羅」にメロディをつけて曲を制作している。

〈9〉**不知火忌**

2018年に亡くなった石牟礼道子を偲ぶ会。主催は石牟礼道子資料保存会。

〈10〉**矩計図**

建物を真横から見たときの断面図。建物、天井、床などすべての高さや各部の寸法などが記されている。

〈11〉**重源**

1121－1206年。鎌倉初期の浄土宗の僧。字は俊乗坊。号は南無阿弥陀仏。1133年に醍醐寺で出家し、同寺で密教を学ぶ。1181年に造東大寺大勧進職を命じられて、源平の争乱で多くの堂や仏像が焼失した東大寺再建を主導した。造営費調達のために洛中をまわり、また巨木を東大寺まで運搬したり、さまざまな調整作業を総合的にこなした。この再建の功をもって大和尚位に叙せられた。

〈12〉**千利休**

1522－1591年。茶人、千家流の開祖。堺の豪商で、武野紹鴎に師事し、茶の湯を学ぶ。織田信長に仕えたのち、天下一の茶湯者として豊臣秀吉の側近政治に関わったが、秀吉の命により自死。侘茶を大成し、待庵をはじめとする草庵風の茶室様式を築いた。坂口は2006年のエッセイに「マルセル・デュシャンと千利休が一緒に見えて、仕方がない」と書いている。美術史にとってのデュシャン登場の衝撃は、概念操作によってそれまでの美術を打ち壊してしまう言語革命にあった。坂口には同じように千利休の仕事は言語を駆使して認識を変容させる行為に見えていたのだろう。

〈13〉**ヘルツォーク&ド・ムーロン**

スイス、バーゼル出身のジャック・ヘルツォークとピエール・ド・ムーロンによって1978年に設立された建築事務所。素材の物質的、構造的な特性を極度に生かした、形なき建築で知られる。2001年にはプリツカー賞を受賞。代表作にロンドンの巨大発電所を改装したテートモダン(2000年)、北京オリンピックのメインスタジアムの北京国家体育場(2008年)などがある。

〈14〉**レム・コールハース**

1944年生まれ。オランダのジャーナリスト出身の建築家。1978年に『錯乱のニューヨーク』を発表し、マンハッタンに代表される資本主義経済下での建築、都市構造を明らかにした。その理論は後年の著作『S, M, L, XL』(1995年)に提唱した概念「ビッグネス」や「ジェネリック・シティ」に通じていく。主な仕事にラスベガスのグッゲンハイム美術館、フランス・リールの再開発などがある。2000年にプリツカー賞を受賞。

〈15〉**クルト・シュヴィッタース**

1887－1948年。ドイツのハノーヴァー・ダダを代表する美術家。1919年に日常的な廃材などを組み合わせた「メルツ絵画」を制作し、既存の芸術ジャンルからの解放を試みた。メルツとはドイツ語で商業を意味する「KOMMERZ」の一部分からとったもの。1923年からはそれを空間へと押し広げて、計4箇所に建築としてのメルツバウを制作した。坂口の路上生活者の家への関心や段ボールを用いたナイロビでの「Kibera Bicycle」などのイメージ源のひとつにはこのメルツバウがあったと思われる。

〈16〉**ロバート・ラウシェンバーグ**

1925－2008年。アメリカの美術家。テキサス大学で薬学を学び、海軍病院の精神科の技師として働く。その後いくつかの美術学校を経て、ブラック・マウンテン・カレッジではジョゼフ・アルバースに学んだ。1953年頃からクルト・シュヴィッタースのメルツ絵画のように芸術と日常を不可分のものとして絵画に現実的要素を導入する、コンバイン・ペインティングの制作を始めた。1964年の第32回ヴェネツィア・ビエンナーレではアメリカ人で初めて最優秀賞を受賞。

〈17〉**奈良美智**

1959年生まれ。現代美術家。青森県弘前市出身で、愛知県立芸術大学修士課程修了後、1988年にデュッセルドルフ芸術アカデミーに入学。その後、長らくドイツで制作を続ける。2000年以降になると、横浜美術館での大規模個展を皮切りに国内外で展示が相次ぎ、評価が確立した。幾層にも淡く塗り重ねられた色面を背景にして、こちらを眼差す、吊り目の少女は、奈良作品の一種のアイコンとして、美術内外で大変な支持を受けている。2013年には芸術選奨文部科学大臣賞を受賞。

〈18〉**草間彌生**

1929年生まれ。現代美術家。幼い頃からの幻聴や幻覚など精神的トラウマから生み出された水玉や網網模様に基づいた絵画で世界的に知られる。1957年に渡米して、60年代にはハプニング、パフォーマンスから「前衛の女王」とも呼ばれた。帰国後は制作と並行して、『マンハッタン自殺未遂常習犯』や『クリストファー男娼窟』などの小説を執筆した。近年、1990年以降の国際的な現代美術シーンでの再評価が目覚ましい。

〈19〉**五木田智央**

1969年生まれ。現代美術家。初期は商業雑誌、デザインの領域でイラストレーターとして絶大な人気を誇った。1990年代後半から2000年代にかけて、アメリカの現代絵画やサブカルチャーに影響を受けたモノクロームの絵画で国際的なアートシーンで注目を集めるようになる。

〈20〉**千葉雅也**

1978年生まれ。哲学者、小説家。博士論文「ジル・ドゥルーズと生成変化の哲学」を書籍化した『動きすぎてはいけない』でデビューし、現代思想、批評など幅広く言論活動を展開する。ひとつだけ千葉の思想における重要なテーマをあげるとすれば「有限性」になるだろう。近年は自身の経験をひとつの枠組みとした『デッドライン』や『マジックミラー』、『エレクトリック』などの小説も精力的に発表している。

〈21〉**中沢新一**

1950年生まれ。思想家、人類学者。1980年代にニューアカデミズムの旗手として思想界に登場して以降、主に宗教学、人類学を専門としながら、領域横断的な言論活動を続ける。チベットでの密教修行を基にした『チベットのモーツァルト』(1983年）でサントリー学芸賞を受賞。代表作に『森のバロック』(1992年)、「対称性人類学」を提唱した『カイエ・ソバージュ』シリーズ、『アースダイバー』シリーズなどがある。

〈22〉**出口王仁三郎**

1871-1948年。大本教の二大教祖のひとり。1900年に大本教の開祖となる出口なおの五女すみと結婚し、大本家に入る。なおの「お筆先」を記録し、全81巻からなる『霊界物語』で経典にまとめる。宗教家としての活動とともに数多くの和歌や書画を制作し、また晩年には陶芸に取り組み様々な作品を残している。

〈23〉**高橋睦郎**

1937年生まれ、詩人、歌人、俳人。中学時代に古代ギリシャの詩に出会い、詩人を志す。福岡教育大学在学中に第一詩集『ミノ・あたしの雄牛』(1959年)を刊行。その後、結核を患い療養生活を送る。1964年に上京、同年に『薔薇《ばら》の木　にせの恋人たち』を刊行し、三島由紀夫らに賞賛された。西洋古典文学に造詣が深く、「王女メディア」(山本健吉選山本健吉賞)や「オイディプス王」の上演台本を担当している。ほか受賞多数。

〈24〉**渡辺京二**

1930-2022年。日本近代史家。少年期に北京、大連で過ごし、1947年に熊本に移住。長年、河合塾福岡校で教鞭を執りながら、主に外国人や庶民の視点から捉えた日本近現代史に関する著述を多く執筆した。熊本では石牟礼道子や坂口恭平とも交流をもった。代表作に幕末期の対日外国人の訪日記を網羅した『逝きし世の面影』（１９９８年）、『小さきものの近代　１』（２０２０年）などがある。

〈25〉**コルビュジエ**

ル・コルビュジエ（本名シャルル＝エドゥアール・ジャンヌレ＝グリ）。１８８７－１９６５年。ジャンヌレ時代には、キュビスムの影響などを受けて、絵画を制作。オザンファンとともに「ピュリスム」を標榜し、雑誌「エスプリ・ヌーヴォー」を創刊する。ル・コルビュジエ＝建築家としては、独自の機能主義に基づいた建築理論とその実践により、建築におけるモダニズムを提唱した。代表作にはサヴォア邸（１９３１年）、ユニテ・ダビタシオンなどがある。

〈26〉**フランク・ロイド・ライト**

１８６７－１９５９年。ル・コルビュジエ、ミースと並んで、モダニズム建築を代表する建築家。生涯にわたって「有機的建築」をテーマとした。代表作にプレーリースタイルのロビー邸、ニューヨークのソロモン・R・グッゲンハイム美術館（１９５９年）、帝国ホテル（１９６８年解体・一部移築）などがある。

〈27〉ミース

ルートヴィヒ・ミース・ファン・デル・ローエ。1886－1969年。ドイツ出身のモダニズム建築を代表する建築家のひとり。バウハウスの第3代校長を務め、ナチスによる解体後はアメリカに移住。主な建築に四方がガラス壁に囲まれたイーディス＝ファンズワース邸（1950年）やニューヨークの超高層ビルの筆頭でもあるシーグラム・ビルディング（1958年）などがある。

〈28〉ガウディ

アントニ・ガウディ。1852－1926年。19世紀末のアールヌーヴォー期に活躍した折衷様式を得意とする建築家。熱心なカトリック教徒であり、後半生は死後も建設中のサグラダ・ファミリアの設計に没頭した。主な建築にバルセロナのグエル公園（未完、1914年）、カサミラ（1910年）などがあり、それらのバルセロナの一部建築は「アントニ・ガウディの作品群」としてユネスコの世界遺産に登録されている。

〈29〉TIDE

1984年生まれ。現代美術家。水木しげるの漫画から影響を受け制作を開始。その後、IDETATSUHIROからTIDEに改名。初期は緻密な鉛筆画を描いていたが、近年はハリウッド映画などポップカルチャーのイメージを下敷きに、ネコをモチーフにしたモノクローム の絵画「CAT」シリーズで国内外のアートシーンで知られるようになった。

〈30〉**ロッカクアヤコ**

1982年生まれ。現代美術家。瞳の大きい少女がカラフルな色彩で描かれた絵画、筆を使わずに直接、手で描くライブペインティングなどで知られる。村上隆の主催するGEISAIで注目を集めて、2010年前後より国際的な評価を獲得する。現在はアムステルダム、ベルリンを経て、ポルトガルを拠点に活動する。

〈31〉**モネ**

クロード・モネ。1840－1926年。フランスの画家。小さな筆致で色を混ぜずに並置する「筆触分割」と呼ばれる手法を使う、新しい絵画運動である印象派の代表人物。モネを含む印象派の画家はグループ展を開催するために「画家、彫刻家、版画家等、芸術家の共同出資会社」（1873年）を設立している。日本美術、文化への関心も高く、後年は自邸に日本風の太鼓橋のかかる睡蓮の池のある庭園を作り、自身の連作のモチーフとした。

〈32〉**藤森照信**

1946年生まれ。建築史家、建築家。1986年に赤瀬川原平、南伸坊らと路上観察学会を結成。2006年の第10回ヴェネツィア・ビエンナーレ建築展では日本館のコミッショナーを務めた。赤瀬川の邸宅ニラハウス（1997年）で日本芸術大賞を受賞。主な設計にラコリーナ近江八幡草屋根（2014年）、多治見市モザイクタイルミュージアム（2016年）などがある。

〈33〉**傘亭**

京都、高台寺の境内に時雨亭とともに建つ茶屋で、桃山時代の遺構。国の重要文化財に指定されている。

〈34〉**ジャスパー・ジョーンズ**

1930年生まれ。アメリカの現代美術家。陸軍を経て、1954年頃より、アメリカ国旗や標的などをそのまま描いた絵画を発表し始めて、ロバート・ラウシェンバーグと並んで、ネオダダ、ポップアートの代表的な作家の一人となる。1963年には現代パフォーマンス芸術財団（現・現代美術財団）を創設し、作家活動の支援にも尽力する。

〈35〉**フランシス・ベーコン**

1909－1992年。アイルランド、ダブリン生まれ。デフォルメされた人物をモチーフとし、ときにキリスト教の主題を借用した神話的ですらある具象画は、とりわけ第二次世界大戦後の抽象表現全盛の時代において異彩を放ち、1954年のヴェネツィア・ビエンナーレでその評価が確実なものとなった。近年日本でも東京国立近代美術館での展覧会（2013年）など、その評価は死後も高まり続けている。

〈36〉**ポロック**

ジャクソン・ポロック。1912－1956年。アメリカの抽象表現主義を代表する画家。キャンバスを床に敷き、絵の具を垂らすポーリングやドリッピングなどの手法で知られる。オールオーヴァーの絵画を制作し、批評家のクレメント・グリーンバーグによってモダニズムの絵画を体現する作家として評価された。

〈37〉**梅ラボ**

梅沢和木の公式ウェブサイト名であり、ニックネーム。1985年生まれ。ポストポッパーズ、カオス*ラウンジ元メンバー。描画用ツールのソフトウェア上でインターネットや現実から拾ってきた画像を複雑にコラージュし、時にその上から絵具を加筆することで絵画を描く。

インターネット世代を代表する美術家のひとり。

〈38〉**大竹伸朗**

1955年生まれ。現代美術家。武蔵野美術大学休業中、単身渡英した際に蚤の市で見つけたノートブックとマッチ箱のラベルからコラージュ・ブックを制作する。その後コラージュを元にした廃材や印刷物を用いた絵画で国際的な評価を獲得。またこれまでに音楽活動や著作物も数多く発表している。主な著作に『既にそこにあるもの』(1999年)、『見えない音、聴こえない絵』(2008年)などがある。

〈39〉**ヴィトゲンシュタイン**

ルートヴィッヒ・ヴィトゲンシュタイン。1889-1951年。オーストリア、ウィーン出身の哲学者。論理や言語の分析を通じて、人間の思考の限界について考えた。代表作に『論理哲学論考』(1921年)、『哲学探求』(1953年)がある。1928年には建築家パウル・エンゲルマンと共同でストンボロー邸を設計、ヴィトゲンシュタインはこの邸宅のためのドアノブを自らデザインしている。

〈40〉**フィリップ・ジョンソン**

1906-2005年。アメリカのモダニズムを代表する建築家。ハーバード大学で哲学を専攻したのち、ニューヨーク近代美術館の建築部門の初代キュレーターに就任し、「アメリカ・スカイスクレーパーの誕生」展（1939年）など建築関連の展覧会を企画する。1940年にハーバード大学建築学部大学院に入学、グロピウスらから学ぶ。第二次世界大戦後には、ニューヨーク近代美術館に復帰。マンハッタンのAT&Tビル（現550マディソン・アベニュー、1984年）の設計でポストモダン建築家としても評価された。

〈41〉**藤村龍至**

1976年生まれ。建築家。東京工業大学大学院理工学研究科建築学専攻博士課程を単位満了退学後、藤村龍至事務所（現・RFA）を設立。「プロトタイピング」や「超線形設計プロセス論」などを独自の方法論を提唱した。主な建築にOM TERRACE（2017年）、はとやまハウス（2019年）などがある。

〈42〉**石上純也**

1974年生まれ。建築家。東京藝術大学大学院美術研究科建築専攻修士課程修了後、妹島和世建築設計事務所勤務を経て、石上純也建築設計事務所を設立。自然現象にもたとえられる、「さまざまなスケールを自由に行き来する」建築で知られる。２０１０年の第12回ヴェネツィア・ビエンナーレ国際建築展で金獅子賞を受賞。主な建築に神奈川工科大学ＫＡＩＴ工房（２００７年）、House&Restaurant〈maison owl〉（２０２１年）などがある。

〈43〉**増沢洵**

１９２５‐１９９０年。建築家。東京帝国大学工学部建築学科を卒業後、帝国ホテル建設のためフランク・ロイド・ライトの助手として来日したアントニン・レーモンドに師事。「吹抜けのある家――最小限住居」（１９５２年）で知られる。１９５３年の「成城学園」の設計で日本建築学会賞を受賞。

〈44〉**清家清**

１９１８‐２００５年。建築家。初期の森博士の家（１９５１年）、斎藤助教授の家（１９５２年）で、日本の伝統的な障子や襖などと西洋の近代建築の原理を組み合わせた設計スタイルを提案。増沢洵の「最小限住宅」や池辺陽の「立体最小限住宅」らと並んで、機能主義に基づいた日本の伝統的なモダニズムを代表する建築家のひとり。

〈45〉**赤瀬川原平**

本名は赤瀬川克彦。１９３７-２０１４年。日本の１９６０年代の前衛美術を代表する作家であり、著述家。１９６０年に篠原有司男、吉村益信らと「ネオ・ダダイズム・オルガナイザーズ」を結成し、「反芸術」を実践。63年には高松次郎、中西夏之と「ハイレッド・センター」を結成。同年に起きた「千円札裁判」は戦後日本の表現規制に関わる重大な事件であった。70年代以降はパロディを得意とする漫画家や小説家として活躍し、81年には「父が消えた」で第84回芥川賞を受賞（尾辻克彦名義）。また80年代以降は都市のなかの無用の長物を指した「超芸術トマソン」や「路上観察学」などカメラワークにも取り組んだ。坂口は赤瀬川の「宇宙の缶詰」（缶詰の中身を取り出し、ラベルを内側に張りハンダで缶を密封した作品）に出会い、感銘を受けたと言う（この小さい空間から無限の深みへと至るための鍵を探す、坂口の関心については心学校の第三回で触れている）。くわえて坂口のフィールドワークの手法には、赤瀬川の路上観察のもとにあった大正時代の今和次郎、吉田建吉の「考現学」での都市や人物の風俗観察からの影響がうかがえる。

〈46〉**バックミンスター・フラー**

１８９５-１９８３年。アメリカ生まれの発明家、思想家、建築家。人類の存続可能性を探求し、さまざまな思想や建築像を構想した。地球を多面体上に投影した「ダイマクション地図」や球に近似する正十二面・二十面体などを正三角形の線分から構成するドーム状の「ジオデシックドーム」の発明で知られる。主な著作に『宇宙船地球号操縦マニュアル』（1968年）、『コズモグラフィー　シナジェティクス原論』（1992年）などがある。

〈47〉**吉阪隆正**

1917－1980年。建築家。今和次郎やル・コルビュジエに師事。代表作に吉阪自邸（1955年）、浦邸（1956年）、ヴェネツィア・ビエンナーレ日本館（1956年）などがある。1954年には吉阪研究室（後にU研究室に改称）を設立。坂口は吉阪隆正の没後30年目に始められた吉阪隆正賞を2013年に受賞している。

〈48〉**レヴィ＝ストロース**

1908－2009年。フランスの文化人類学者。ブラジル奥地へのフィールドワークをまとめた『悲しき熱帯』（1955年）、『親族の基本構造』（1947年）、『野生の思考』（1962年）などで、未開とされる社会に存在する「構造」を明らかにし、構造主義の旗手となった。坂口が『悲しき熱帯』から読み上げるなかでも特に重要なのは、「首長の政治力は、共同体の必要から生まれたものではない」、「集団の方が、集団に先立って存在している首長になるかもしれない男から、集団の形や大きさや、さらには形成の過程など、一定の性格を授けられるのである」という部分である。これは既存の選挙システムから生まれるリーダー像とは全く異なるイメージであり、坂口が実感している共同体なるものの成り立ちの原風景であろう。

〈49〉**磯部涼**

1978年生まれ。音楽ライター、著作家。高校時代に音楽ライターとしてデビューして、ヒップホップやクラブミュージックを中心に執筆活動を続ける。またヒップホップグループBADHOPの活動拠点である川崎を取材した『ルポ川崎』（2017年）、京都アニメーション放火殺人事件などを取材した『令和元年のテロリズム』（2021年）など、日本のカルチャーシーンを取り巻く政治や社会状況に関する評論を多く手掛けている。

〈50〉**石川直樹**

1977年生まれ。写真家、冒険家。各地の山々を巡りながら、写真集での発表、著述業を長らく続けている。2001年にはエベレスト（北稜）に登頂し七大陸最高峰登頂世界最年少記録を更新。写真集『CORONA』（2010年）では第30回土門拳賞を受賞。主な個展に『JAPONÉSIA』（ジャパン・ハウス サンパウロ、オスカーニーマイヤー美術館）、『この星の光の地図を写す』（水戸芸術館ほか）などがある。

〈51〉**ロジェ・カイヨワ**

1913－1978年。フランスの思想家、社会学者、文芸批評家など様々な肩書をもつ著述家。パリにて1936年にジョルジュ・バタイユを発起人とする「社会学研究会」に参加し、祭りや戦争などの共同体の熱狂に関する『人間と聖なるもの』（1939年）を著す。代表作『遊びと人間』（1958年）ではヨハン・ホイジンガの遊び論を批判的に継承して、独自の遊び論を展開している。

第2回 文学

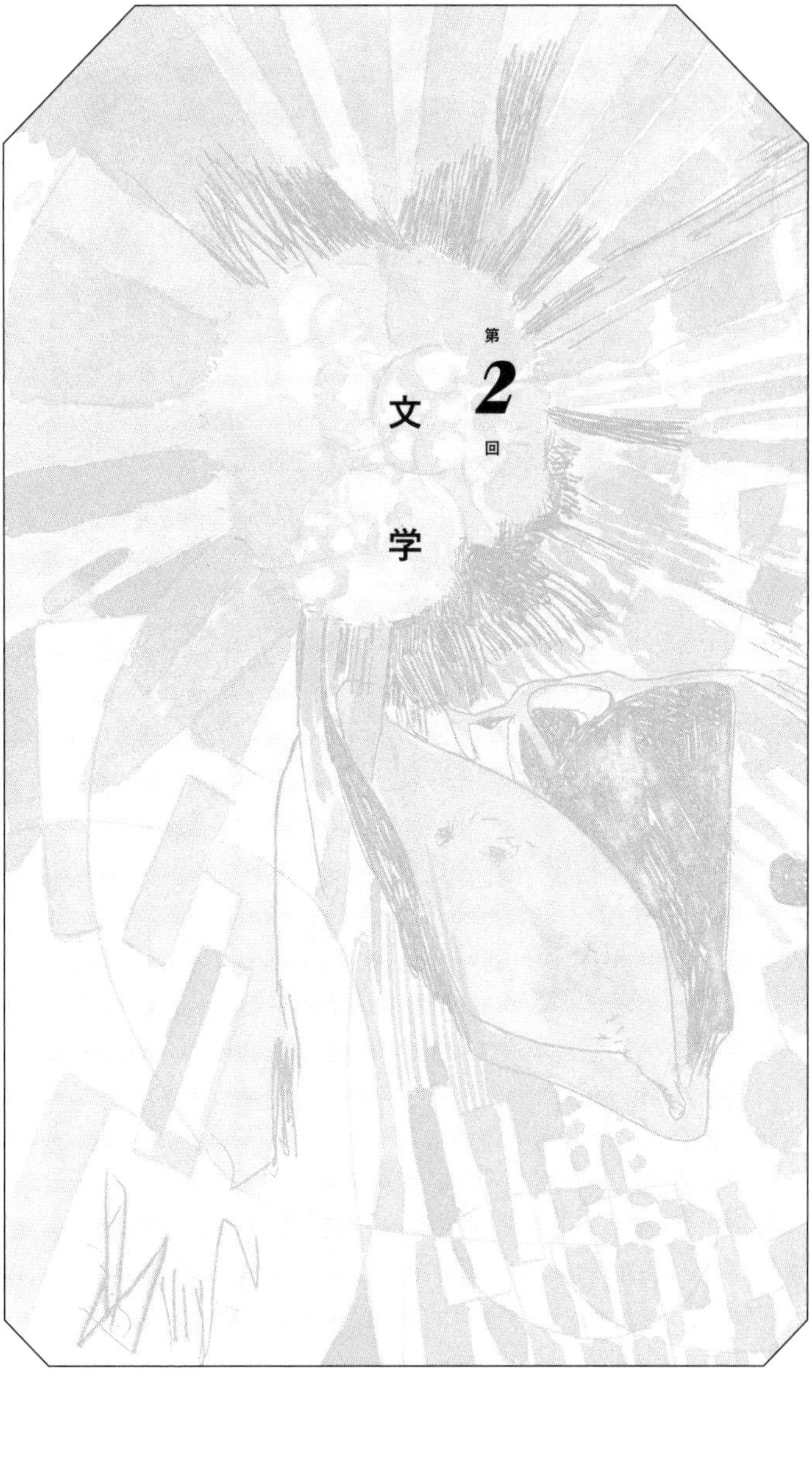

心をなぜ、ひとつにしてはいけないのか?

坂口　前回の宿題を提出してくれた人が何人かいた。そのなかで今日、熊本市現代美術館の会場に神戸から来て手渡ししてくれた学生がいて、彼の文章を読んでいたら、おれのなかで答えが分かった気がする。

南島　いきなりですか。

坂口　心をなぜひとつにしてはならないのか?とおれが問うたということは、心がひとつになったとおれが感じたんだよね。一回目を聴いていた四八三人がひとつになっちゃった。それに彼も驚いたと思う。だから、ひとつにしてはいけないのか?という問いが出た。おれらは突然始めたけど、心がひとつになった。それは要するに声の効能だと思う。おれは文ではなくて、声を発している。おれがいのっちの電話で何をしているのか?ということと心学校は繋がるのかもしれない。それに彼のレポートは気づかせてくれた。

心をひとつにするというスローガンは学校だけでなくて戦争とも関係がある。でも戦争では、みんなの心がひとつになっていないから、ひとつにしようとする。いくら言葉で「心をひとつにしよう」と言っても、声はひとつになっていない。声は色々なところに潜んでヒソヒソ話をして、漏れ聞こえてくる。でも心学校ではヒソヒソ声が聞こえてこない。声が暴れておらず、ひとつになっている。これはひとつの考え方として受け取ってほしいけど、いまの学校は生徒たちの文＝言葉を合わせる場所になっているけど、本来の学校は声を合わせる場所。おれがいのっちの電話でやっているのはそういうことで、声を調律しようとしている。はっきり言えば、心学校を始めてみて、**いのっちの電話は救済機関ではなくて、学校なんだ**とぼんやりと感じ始めている。

南島　心学校ではその声をみんなで聞いているという感覚と一人で聞いている感覚を調律することがうまくいっているのだと思います。それが、心がひとつになったという実感とそれに対する疑いを生み出して、もう一回バラバラにならないと、と危うさを感じたのかもしれない。

坂口　でも本当は危険ではない気がしたでしょ。むしろ心地よい感じがしたと思うよ。声がすごいのは矛盾が成立することで、これがおれのやろうとしている**音楽的建築**の形。部屋で一人で聞いていることとみんなで聞いていることが全部ドッキングしていくと思ったら、心がひとつなった状況の中で、おれが心を一つにしたらまずいよと言うとすーっと離れていったりする。それもおれなりの無意識の実験をしたのだと思う。

南島　なるほど。今回は文学についてなので、文章＝テキストと声の違いを考えてみると、まっさきにその受け手の時間のあり方が異なることに気が付きます。読書はひとの二倍以上早く読めても、声は二倍速にしたら聞こえなくなってしまう。声で、心がひとつになるのはこの聞くことがもっている話し手と聴き手の時間の流れの近さが関係している気がします。

坂口　ただおれはそこも混ぜようと思っている。面白いのはおれは話すより書くスピードのほうが速いんだよね。常に話し言葉が書き言葉よりも前にくるものなのか？　自分なりには実験していた。いや、そうではないと気づいた。

南島　それは新しいですね。

坂口　そう、おれは話し言葉を原典や源流としては使っていないから、聞いている人に浸透していっている気がする。ボブ・ディランがどう作曲するのかというと、**常に同時に出る**っていうわけ。おれも同じで常にどれぐらい同時に出るのかを見定めているのだと思う。テキストも声も時間と空間も一斉に出る。聴いている人の記憶も同時に出る。これは通常のテキストでは分裂していかざるを得ない。けれど、声であればできる。

そのなかでもある音をベース音にして落ち着かせるとか、メロディラインやコードを安定させてループさせて違う方へ飛ばしていく。いままでのやり方だと伝わらないけど、心学校ではぎりぎりそうやってみんなが分かるようにアンカーを打ってるんだよね。もっと早くすることもできるんだけど、いまは同時にできることによって速度が落ちている。みんなに同時に見せるためにわざと心拍数を落とすことを覚えた。そういう速度とテキストの速度は本来、ずれていると思われてるんだけど、おれが書いている原稿はそうなっていない。たとえば、『現実宿り』の一節を軽く朗読してみるね。

「わたしたちには時間という考え方がそもそもないのかもしれない。つい図書館に入り浸っているせいか、知らぬ間に言葉を使っているが、実はわかっていないことも多かった。時間という言葉もそうだ。人間にとっての時間と、わたしたちが感じている時間にはおそらく大きな違いがある。「森の夢」を開いてからというもの、わたしたちはそのことを考え続けていた。一本線に伸びていくのではない。かといって放射線状に伸びていくのでもない。そもそも伸びていくものではない。過去や未来と言われても、わたしたちにはさっぱりわからなかった。時間は過ぎ去ったり、未来を感じさせるものではなく、空気のように風に吹かれて滞留している、とわたしたちは感じていた。森のように、いまここにすべて存在しているのだ。森にはいろんなものが生きている。息をしている。息を止めているものもいる。わたしたちは息を止めている。わたしたちは動いていない。わたしたちには手がない。手が欲しいと思ったことすらない。それでもわたしたちには手が届くという、感触は理解できる。わたしたちは集まっているのではない。わたしたち、と言うしかない」（『現実宿り』四六－四七頁）

不思議でしょ。いまみんな、この文章がおれたちのことを言っているような気がしてこない？　おれはこの時にそのように考えて書いているわけではないから、いま頭の中に鳥肌が立った。おれが二〇一七年に書いていることがいまの私たちのことを予言している、とまでは言わないけれど、ある体の振動がリンクした時にどうなるかを考えながらさらに読んでみよう。

「わたしたちはこのスペースに集まっているのではない。わたしたち、と言うしかないので、そう書いてはいるが、わたしたちは複数ではない。かといって一つでもない。言葉で書けば書くほど、わたしたちが伝えたいことからは遠くへ行ってしまう。わたしたちには目がなかったが、なぜなら携帯電話を使っているからだが、いくつもの見方を持っていた。見る、という行為にはいくつもの分かれ目があった。道や樹木や川の流れと似ている。しかし、明らかに違いがあった。目を使わない見方のことをわたしたちは「遊び」と呼んでいた。遊びは楽しいが、風に頼るのは心もとない。しかし、失敗を恐れているわけにはいかない。わたしたちにはまだわからないことが多いので、恐れている暇はないのだ。そもそも恐れるという感情自体よくわかっていない。遊びは、それを忘れさせてくれた。つまり、遊びはわたしたちにとっての儀式の一つだった。遊びは混ぜ合わせ、引きちぎりながら、届かない二つ以上の間を軽々と飛び越えることができる。遊びの名手は重要な職能をもつものとして尊敬された。音楽師とはまた別の仕事だった。遊びはいつも突然はじまった。それがどんなきっかけではじまるのか、わたしたちには知る由がなかった。遊びの名手はなんの予兆もなく声をあげた。あの声は果たしてどこから出てくるのだろうか。振動させるものなど、体はおろか周辺にも見当たらない。ところが、遊びの名手、坂口恭平はいとも簡単に、声を拾い上げて、一列に並べていく。黒と白の二色の場合もあるし、いろんな鳥の形をしているときもあった。目を覚ますと、それらがすべて石ころだったというときもあった。つまり、何が起こっているのか、わたしたちには何一つわからなかったのだ。しかも、誰が遊びの名手なのかすらわたしたちは知らない。顔が見えないからだ。誰も自分が遊びの名手だと、公言しないからだ。こそっと秘密を教えてくれるものもいない。気づくと、またいつものわたしたちにそっと忍びこんでいる。仮面をつけているわけでもない。それでも明らかに遊びの名手はわたしたちとは違っていた。突然一〇メートルも飛び上がったり、夢で見たはずの大木よりも大きな影をつくったりする。横たわったままのわたしたちはそんな彼らの動きに驚いたり、その仕組みについて話し合ったり、いや、これは訓練によって可能になったのだ、と幻ではないことを強調したりした。しかも、遊びの名手はわたしたちに、お前らもやってみろ、と言ってくる。そのときには、声はひとりでに形を持ち、動きはじめていた。声が形を持ち話し出すと、わたしたちはつい笑ってしまう。おかしな動きだから、というわけではないのです。むしろ空気がただ体の中から勝手に外に出ていくように見えます。遊びの名手は、いつもマントのようなものを持っている。どこかに隠されているのだろうか。誰も探し出したものはいない。そのマントを、器用に袋のようにして、わたしたちの声だけをうまくかき集めていく。すると、最後には鳥になっていたはずの遊びの名手の声だけが、取り残されるのです。曇ったわたしたちの声は彼らの背中に満杯に詰まっていた」（『現実宿り』、四七－四九頁、傍線部は読み上げ時に改変）

おれ自身もぜんぜん予想してなかったけど、テキストはこういうことができる。これは声にはできない。テキストには同期したことを一回忘れさせる時間があって、声とは時間の景色が違う。時間には景色があって、声による時間の景色とテキストによる時間の景色は違う。ただ時間の景色といったときに、時間の記憶とかいま目に見えているものではなくて、声を聞きながら、テキストを読みながら思い描けるような景色と時間の景色は一瞬似ているように見えるときがある。そのダブルイメージがちょっとずれていく感じが心地よい。

おれはそれを言語化できないまま話しているけど、おれの頭の中でおれに見えている時間の景色はすごく具体的。でも言葉にしようとすると二重になってずれていってしまう。3Dを見るのに近い感覚。意識して焦点を合わせようとするとずれていってしまうから、焦点をずらしたまま進んでいかなければならない。それがテキストを書く人の作業だと思う。さて、前回の振り返りはこの辺にして講義に入ろう。南島くんから質問ある？

シェルター・フロム・ザ・リアリティ

南島　前回の話を聞いて、ふたつのシェルターについて考えました。振り返ると、坂口さんは建築とは言語であり、その言語によって建てられる建築はシェルターであり、自分自身であると感じていると言っていました。そのときの身体のイメージは外に開かれた開口部が多く、ヴォイドのある空間で、そこに一時的に集うのは路上生活者の家のようにあばら骨の見えた犬ややせた人間でした。坂口さんのなかでは、彼らは死者やこれから生まれてくる子孫のような存在で、そうした人々の仮の宿として坂口さんの建てない建築としてのシェルターがひとつあります。こちらはいまここにはいない、不在のもののためのシェルターです。対して、いのっちの電話はいまどこかで死にたいと思っている人たちに開かれた、いわば生きるもののためのシェルターだと思います。今はなきものとあるもののためのシェルター。このふたつの建築はどちらも坂口さんの体を通じて作り上げられるものですが、それは別々の方法からなるものなのでしょうか。それともなにか通底した同じ方法論が貫かれているのでしょうか。

坂口　おれは質問には答えられないから、今の質問からインスピレーションを受けた話をするね（笑）。以前、あることがいのっちの電話であった。お母さんが目の前で自殺した子からで、いまはビジネスホテルを借りて、自分も首を吊ると首に輪をかけている状況で電話してきた。もう死ぬかもしれないから、おれは自分にできることであったら、願いを叶えたい。なんでもひとつ願いを言ってくれと言った。願いを叶えれば彼女は死ぬことを自主的にやめてくれるかもしれないという希望があったからね。

おれは「死ぬな」とは一度も言ったことがない。なぜなら、おれのなかで死ぬなという言葉は言語ではないから。それはいまの社会の中で作られてしまった三文字という感じがする。ここで、おれが言語として言おうとしているのは、いわゆる原音楽みたいな感じ。「死にたい」は原音楽ではなく、すでに社会性を帯びてしまった言葉なんだよね。それ以外にもこの「死にたい」の近くには「生活困窮者」や「貧困層」、「片親」とかいう言葉がある。これらはぜんぶ蝶番だから、その内側も探らないといけない。つまり、その子の願いを聞くことによって、社会から与えられたものではなく、その子固有の何かを引き出そうということ。

おれからすると、固有なものは音。その子に**固有の音色**が出せれば、ちょっとずつ調律することができる。でも、死にたいという限り、その人を調律することはできない。それで、その子はこう言った。「お母さんに会いたい」。つまり、お母さんに会いたいというのが目的で、その手段が死ぬってことだった。

でも、もう音色が出ちゃったから、おれはそれを調律することができる。おれは「あなたの意見は意見として尊重するけど、お母さんの意見も聞いてみよう」と言った。もちろん、お母さんはいないのだけど、でもお母さんの意見を聞いてみるというセッションはできるはずなんだよね。なぜなら、すでにその子固有の音楽は出ているから。ここには「死にたい」、「貧困層」、「自死遺族」のその子はいない。だから、演奏ができると思った。

どうするかというと、お母さんがいるのかどうかを確かめたいなら、おれがその子の相手をするしかない。音楽がはじまるときと一緒。「あなたがベース音を鳴らしたら、おれがその上に乗っけていくから。君が鳴らしてくれる限り、おれはお母さんができる気がする」と伝えた。そこまで言ったときに、その子がすぐに子供みたいにまた「お母さんに会いたい」と言った。つづけて「会えるんですか？」と言うから、おれは「演劇では会えるぞ」と答えた。おれに憑依の能力はないけど、その子の「会いたい」という感情が複雑で豊かに感じたわけよ。できるかもしれないから、やってみようと。ただおれは男だから、女にならないといけない。おれは音楽のことしか考えてないから、どうしたかというと、オフボイスでやってみた。声帯を震わせないように。「わたし、おかあさん」。これでお母さんだって思ってくれた。

「え、どうしたの?」ってふたりの演劇がはじまった。おれのなかではここはもう**シェルター・フロム・ザ・リアリティ**。つまり、シェルター・フロム・ザ・ストームは嵐からの避難所、シェルター・フロム・ザ・レインだったら、雨からの避難所、シェルター・フロム・ザ・リアリティだと、いわゆる言葉で埋め尽くされてしまって言語が動きづらくなってしまっている、いまのおれたちの認識している現実からの避難所がいのっちの電話。それを成立させるためには死者を呼び出すことも余裕でできる。「これは演劇です」と一応、電話の手前いうけど、外から見たら憑依している人にしか見えないと思う。だけど、ちょっとだけなら、だるまさんを入れ替えることができる。

「おかあさんに会いたい」

「なんで気付かないの？」

「え、どういうこと」

「あなたの横に毎日いるのに、なんで気付かないの？」

その瞬間に「家に帰ります」と言った。

その子にとってはお母さんがベランダから飛び降りたことによって、天国か地獄か分からないが、そうした位相に飛んで行ってしまったと思っていて、彼女がすぐ横にいるという想像をおそらく一度もしたことがなかったんだよね。だけど、その女の子が原音楽を鳴らしてくれたおかげで、おれも演奏家として、一緒にセッションすることができた。

結論、そのとき一瞬で、おれが即興でオフボイスのなかに見出したのは、じつは肉体こそ死んで燃えてしまったかもしれないけれど、非常に鋭い意識をもってあなたの横に透明なままいる、というお母さんの存在だった。その子が首の輪を取ったのをおれは電話越しに想像できたぐらいの感覚があった。

　のちにその子は就職をして、おれのパステル画を買う。その絵は車に乗ったままおれが撮った写真をもとに描いたものなのだけど、前に軽自動車があって、その映像を見たことがあると言った。自分がこれは見たことがある風景だから、いつか仕事でお金を少しずつ貯めて、自分で買いたいと言ってくれた。その子はちゃんと全額払って、おれがその子に絵を送ったというところまで回復した。

　それだけじゃなくて、そのあと母親が自殺してしまった、また虐待を受けてしまったと誰かが電話をかけてくるときにその子はおれの代わりに助けてくれるメンバーになっていくわけ。それを繋いだのは、そのひと固有の時間が生まれている瞬間なんだよね。そのときにすごく自由に入れ替えができたり、音楽特有の面白さだけど、BPMだけ合わせると違う曲がかけられるように、そこの矛盾をむしろ**矛盾が作り出す歪みが新しいグルーヴを生み出す**ように音楽的に解決していったことを思い出した。

南島　ぼくは生と死のシェルターをふたつに分けましたけど、生のシェルターである、いのっちの電話のなかにも死者は召還されて、誰かの命を救っているのですね。

坂口　もうひとつ思い出したのが『現実宿り』のこと。この小説は自分の鬱状態のときに苦しいということを書けば書くほど、さっき言ったように社会上の言葉で書いているために、どんどん現実が強化されていくという辛い経験をもとに書いているのだけど、そこからスリップさせたほうがいい。

書くという行為自体は四つ打ちで止めたまま、BPMをそのままにしているのだけど、内容はできるだけ自分の頭の中にある図像で、自分とはまったく関係ないものがいい。そこに他者がどんどん入ってくるから、その他者が感じている時間の風景を書くというスタイルに自分の文学態度が定まっていく。そのときのタイトルは『現実宿り』、つまり繰返せば、シェルター・フロム・ザ・リアリティ。このインスピレーションのもとになったのがいわゆる、シェルター・フロム・ザ・レイン。**雨宿り**という考え方。

雨宿りって軒先じゃん？　外なんだけど。自分で作ったのでもない、誰かの屋根の軒先の下に入った瞬間に雨が暖かくなったのをみんなも経験したことがあるよね。雨に濡れなくなった途端に体についた雨粒がただ冷たいものではなく、肌の体温とリンクして、ちょっとずつ熱で雨の水が衣服に変わったんだと小さい頃に思ったはず。これも全部さっきみたいにスリップして、時空がちょっとずつ歪んでいく経験。もっというと、これは**テキストでないと表せないんだよね**。それぞれ固有の時間の景色がテキストにもあるし、ボイスにもあるし、オフボイスでもまた違う。色んな形のランドスケープ・オブ・ザ・タイムがある。だから、おれは色々やる。『現実宿り』の執筆では、そうしたランドスケープが時間のなかに含まれているということを見つける、という発見をした。ぜんぶ、風景論なんだよね。

それはアジテーションではない

南島　風景論としてのテキストは、おそらく坂口さんが小説を書き始めたときにより意識されたことなのだと思います。坂口さんのテキストの変遷を見てみると、東日本大震災前後を初期とするならば、『独立国家のつくりかた』やそれに準じたテキスト・発言は、いま言ったような風景論としてではなく現状の社会に対する異議申し立てとして受け取られていたと思います。それでひとつ聞いてみたいのは「アジテーション」というスタイルについてです。

最近、アジテーションとして批評を書いたものが読者に刺さっているという実感があります。たとえば、二〇二一年の群像新人評論賞にて優秀作に選ばれて書籍化された小峰ひずみ『平成転向論』、二〇二二年の紀伊國屋じんぶん大賞で一位になった高島鈴『布団のなかから蜂起せよ』はどちらとも、これは「アジテーション」であると明記されていました。坂口さんの活動はアジテーションなのでしょうか。そうしたものと紙一重な部分でまったく異なるものかもしれません。いまはアジテーションというテキストのスタイルについてどう思いますか?

坂口　どうしたらいいだろう。**おれのなかにはアジテーションという概念がないんだよね。**『独立国家のつくりかた』で書いたのは、子供の疑問。一見、それはアジテーションやステイトメントのようだけど、なぜ人間は土地を所有することができると感じてしまっているのだろう?というクエスチョンに過ぎない。

いのっちの電話を始めた理由はおれが小学校一年のときの担任だった佐藤範子先生の言葉。初赴任で若かった佐藤先生がいつも口癖のようにプリントに書いていたのが「いのちのおかわりはありません」だった。この言葉が自分の心にすんなりと入ってきた。もちろん躁状態では非常に攻撃的になるときもあるから、それがアジテーションに見えたひともいるかもしれないけど、ぶっちゃけそれは非常に読解能力の低いひとのリアクションだと思う。

もっと言うと、現政府に対してアジテーションしたと思われているSEALDsの奥田愛基[52]は、あいつが死にそうだったときにおれに電話してきたのよ。つまり、おれはそういう時にしか動かない。奥田愛基は自分の体の振動と直感でなぜかあのとき動いたんだよね。それに周りの人がすごく否定的な反応をしたから、ネット炎上もして、いまも傷ついている。世の中は炎上してその人たちが葬り去られて終わりでしょう。だけど、その人たちにも人生はある。いのちのおかわりはないから。彼らは命がなくなるまで、傷を抱えながらも生きていく。おれはその傷を持ちながら生きる人を見て、いつも深く同情するわけ。

電話で知ったのは奥田愛基がSEALDsにもつながる彼の活動を始めたきっかけがおれの『独立国家のつくりかた』〈53〉を一八歳の時に読んだことらしいこと。じつはそういう人たちが現れていたということは年を経るに従って分かっていったんだけど、当時はほとんど誤読されていると思っていた。ただ奥田愛基は誤読してなかった。あいつは苦しい時には電話してきてくれたから。アジテーションするときにはそれがなかなかできなくなるんじゃないかな？　もしアジテーションを反抗期の少年みたいな姿と想像するとしたらよ。

だから、おれはアジテーションとかアンチテーゼをして、皆を扇動していく人に見えるけれど、実情は違うことはもうみんな気づいていると思う。そもそもおれ自身はひとと一緒に過ごすことがまずできない。自分の中で起きていることをひとつひとつ吟味することだけで手一杯すぎて、ひととのコミュニケーションがなかなか難しい。だから、もともとアジテーションみたいな行為がほぼ不可能な人間なんだよ。

　それでもできるのが、佐藤範子先生や石山修武のことを忘れないこと。石山修武は、おれが土地所有に関して自分の中で蹴りがついてないから建物が建てられませんって言った時におまえが自分で感じたことは正しいと教えてくれた。のちに土地の所有に関しては宮崎四兄弟〈54〉やゲゼル〈55〉、それがミヒャエル・エンデ〈56〉に繋がっていくし、アメリカだとヘンリー・ジェイムズ〈57〉とか、彼がのちにフランク・ロイド・ライトとかと繋がっていく。いわゆる現代建築は土地の共有性を求めていた人たちの世界観から生まれていることを知っていくのだけど、でもそういうことじゃないんだってことを石山修武は教えてくれた。そこを掘るのも大事だけど、おまえが感じたことを真顔で行動することのほうが大事だと。

　それはアジテーションではない。アジテーションというのは、まず何かがあって、それに抵抗していったり、それに向かおうとしている人たちの周波数をカットして、だいたいこのくらいのMP3の世界のなかでやってくださいとする。要するに生音じゃないんだよね。石山修武が言ってたもん、坂口おまえのドラムの音がやばいって。山下達郎にロックを感じる瞬間みたいな。分かる？　六歳の時に感じたことを、ある意味でこれだけ頭がよくなったはずなのにやっぱりそっちの方に転がれないいんだよ。つまり、おれにはできないのだと思う。南島くんが言っていた『布団の中から蜂起せよ』は気になるけど、おれは読まないタイプの本。栗原康の本も読めないんだよ。文句を言うつもりはないのだけど、ある種のポジショントークに見えちゃうというか、その人の本当の動機は文面ではなく、音楽の影響が過ぎるかもしれないけど、ジャケットに現れると思う。おれからしたら、ジャケットがすべて。

一緒に夢を見る

南島　言わんとすることはわかります。坂口さんはアナーキズムの研究者や運動家と考えていることは近いのかもしれないけれど、大事なのは内容ではなく、それがどのように見えるのかという振る舞いの部分だということですね。

坂口　だって、おれの本でモノクロ写真のジャケットとか一枚もないよ。おれは彼らに興味がないわけでもないし、自分とポジションが近いからあえて離れるとかじゃない。ただ理解ができなくて戸惑っていることに近い。おれはそれぐらい、みんなが想像するよりも恐ろしくクリスタルなんじゃないかな。半端なくクリスタル。

このまえ、小学校のときに好きだった子から手紙が届いた。

「元気にしていますか？　新聞を読んでいたら、恭くんの顔が飛び込んできてびっくりだったよ。切りぬいて大事にとっています」

おれが九歳の時に突然、転校になって、それ以来会ってない小学校一年生の時に好きだった初恋の人なんだけど、おれ携帯を置いたまま、その街にもう一回戻ってどうにかして小学生の自分の目で、その子の家を見つけ出して、あのとき本当に好きだったことを伝えようというのを二年前にやったんだよね。

手紙はこう続く。

「数十年ぶりに会えて、本当にうれしくて、でも会ってなかった時間の流れを感じなくて、不思議な気持ちでした。生きていたら大変だなと思うようなこともたくさんあるけれど、恭くんがいろんなところで活躍している姿を見るとなんだかパワーをもらえて、わたしもぼちぼち頑張ろうと思えます。恭くんのパステル画『Water』を購入しました。恭くんの絵を見てたら、ただひたすらこころが本当に穏やかになるんだよ。また会える日を楽しみにしているよ」

これ読んだときにやっぱり「いのちのおかわりはありません」と言われて、おれが小学校一年生の時に感じたことはなんだかわからないけど、正しかったんだと思った。

おれは小学校を卒業して、中学生になるとリストカットをしていた子と付き合う。ポケベルで午前三時に、眠れないから寝かせてくださいと中二のおれに言ってくるんだよ。どうすればいいかわからないじゃん。うちは五人で川の字に寝てたから、起きただけでばれる。トイレに行ったふりをして、そのまま玄関にいくと音がするから、子供部屋の窓を開けて靴をそっちにもっていって、そこから抜け出して、自転車で三〇分もかかるんだけど、その子の家までいったら、二世帯住宅でその子の家が三階なんよ。

どうやって入るかわからないじゃん。でも大丈夫、そのとき家が塗装中で足場がかかってるからって言われて、じゃあ足場を登っていくしかないからそこを登って、三階のベランダまで行った。その子にサインをして中に入って、足をマッサージしてあげた。足を温かくすれば、眠れるって知ってたわけ。それで寝かせて帰ったりしたの。

おれの嫁のフーちゃんがおれと出会った頃に渋谷のハチ公の近くでタクシーが前のタクシーにぶつかって、見たら運転手の顔がゾンビみたいになってた。てんかんの症状だったけど、その瞬間になぜかおれは目が据わったような感じになり、「おまえハンカチある？」って聞いて、ハンカチもっていって、いきなりタクシーのドアをあけて、口の中にハンカチを入れて、舌を嚙まないようにした。フーからは、なんであのときにあんなことできるのって言われた。

思い出すと中学生の時に妹がいまでいうストーカーにあってたから毎日おれが一緒に学校に行ってあげてた。そしたらいつもストーカーはこちらを見とるんよね。うちらも窓からこそっと見てやっぱり今日も見てるといって確認しながら通学してた。塹壕《ざんごう》からチェックするみたいな感じでね。そしたらある日見たら、妹がそいつがいないっていうから、いやいないってことはないやろと思ってみたら、車の陰から頭だけが地面のうえに落ちていた。あれ、倒れてると思って、その時もまたおれは目が据わったようになって、すぐその人のところにいって、できもしないのに人工呼吸しようとしたんよ。のちに彼は死ぬんだけど、おれは死体を見ても、なんとも思わないで、どうしたらこのひとが助かるんだろうかとか、そういう思考しかしてなかった。

お母さんはこういう時に恭平は行動するけど、あなたは中学生なんだし、勇敢なのは分かるんだけど、私は心配だと言っていた。この自殺未遂をする女の子と付き合わない方がいいとか、このいわゆるストーカーであっても助けるべきという緊急隊になるんじゃなくて、もう少し普通の子供でいてくれないか、みたいなことをね。

そのときもまたおれは目が据わって、

「いや、そうじゃなくて、お天道様の視点でお母さん見てご覧なさい」

と突然言い出すわけ。

「お母さんの視点だと、あなたは愛する子供を守ろうとする偉い人だけれど、わたしは（のちに沖島勲〈58〉という映画監督が作っていたことを知るんだけど）「日本昔話」で育ってる人間だから、昔話の視点からすれば、常にお天道様の視点から見なきゃいけないのよ。（その当時、グーグルアースはなかったけれど）お天道様の視点で、お母さん見てごらん。地面のうえに倒れてる男、ストーカーで困る妹、それを心配する母親、それを心配して妹を守って学校に一緒に行っていた坂口恭平。お天道様はだれの命を一番助けようと思う？」

と言ったら、もうお母さんは耳を閉じるんよ。まるでそれを言ったことで、何か社会の綻びが見えた瞬間に、一瞬洗脳が解けそうになる瞬間に耳を閉じようとしたのは忘れもしないんよね。

おれはその時にいろんなものを見ちゃってた。おれの父親の弟がギャンブル依存症で金の無心にうちに来るんだけど、お母ちゃんが泣いて叫んだの。うちには子供もいるし、お金を貸してくれだの、しかも額が一〇万とか二〇万。おれはそういうときに上手に弟と妹を戦争ごっこみたいな感じで布団の中に隠していた。それでライトをつけると防空壕みたいになって面白いから、叔父とお母ちゃんの会話を聞かせないようにしてた。でも、おれだけは全部聞いて、記憶してるわけ。

のちにおれがいのっちの電話をした時に、ギャンブル依存症のひとに全部お金は振り込んだりしている。それは親父の弟がそれで失踪するんだけど、それは本当に傷ついたからだった。当時からお母さんにこう言った。なんで金だけあげればよかったのにあげなかったのって。でも、お母さんはギャンブル依存症の人に金をあげるとまたギャンブルに使うでしょうが！って言うんだよ。おれはなんでそんな結末になるのって、そうじゃないでしょう。この人は困ってるんだよ。困ってたら助けてあげればいいじゃない？　それがギャンブルに変えようが、その人が助かるんじゃないのと言ったら、もう恭平、そういう風なやり方は諦めなさいと言われて、いや、おれはなんで諦めなきゃならないの？って思ってた。

お母さんからはいつも言われていた。あなたは諦めなさすぎの、言ったこと実現しすぎ。それは有言実行のネバーギブアップで、どっちも良いことなはずなのに。さっきの心をひとつにしようじゃないけど、お前らの社会が学校で掲げたスローガンであり、標語を本気でおれはやろうとしているだけ。つまりそれこそ心をひとつにしようと言うんだったら、本気でおれは言語の中に音楽をぶちこんで、さまざまな人にさまざまに流れているだろう時間の景色ですら、調律して全部同じにしたら、一緒に目をつぶって夢を見ることができるんだよってところまで行っちゃうんだよね。

心をひとつにということは、一緒に夢を見ることなんだよ。そしたらのちにおれのことを夢に見たというあるモンゴル人がおれのもとに来たことがある。これはめちゃくちゃな話で、『現実宿り』のもとなんだけど、じつはあれもぜんぶ事実。彼らはハヤブサ族といってハヤブサが死者を乗っけて戻ってくると考えている。彼らはともに同時に夢を見ることができて、その夢をもとに会議をしているそう。

ハヤブサ族のある若い男がおれの夢をみた。日本人だということが分かるから、国士舘大学の神学部に留学しながら、その男を探していた。読書をして探していたら『独立国家のつくりかた』を読んで、はじめて私たちと同じで土地の所有に疑問を持つ人間を見つけましたと仲間に伝えた。仲間たちは出版社に問い合わせれば会えるのか?と男に聞いたら、いやこいつは馬鹿なのか電話番号を公表しているから、すぐ電話できますと言って、そいつがおれに電話して会いに来た。会ってからそいつはずっとおれのことを兄貴と呼んでいた。実際に夢で会ったから兄貴と呼ばせてくださいって。

おれもそれはそうだと思って、さらに「ホーミーもできるし」って言ったら、「え、ホーミーできるの?」と男は驚いた。おれがはじめて練習せずにできた楽器がホーミーだった。ホーミーを鳴らしたら、またお母さんとそっくりな仕方で男が耳を閉じた。そして、ハヤブサがくるから、平日昼間からホーミーはまずい、やめてくれって叫んだ。でも、おれは「え? そんな驚かなくていいよ、ハヤブサだって生きてるんじゃん?」とか言って鳴らし続けた。

おれは昔からそうなの、みんなは悪霊をなぜ悪霊と呼んで差別するんだよと思ってた。さっきと同じで社会の中で生きるおまえたちが差別するなというなら、悪霊ですら受け入れてくださいよって小学生の時から言ってた。だから、大丈夫だと思って品川駅でホーミーを吹きまくってたら、その男、名はモルンというのだけど、彼がわああって言い出して、どうしたモルン?と思ったら、真っ暗で超巨大な鳥が、ハヤブサ来た!って指さした。見上げたら、真っ暗で超巨大な鳥が、品川駅の上を飛んでるわけ。マジでハヤブサいるのってからやばくて、おれアシッドか何か飲んだかと思った。でもよく見たら、それは鳥よけで、巨大な鉄板か何かが上にぶら下がってるだけだった。おいおい、あれは鳥よけだよって言ったけど、モルンは鳥よけなんて思ってないから、兄貴もう勘弁してくれ、モンゴルに来てくれる?って言われた。

そういうような、おれの場合は全部フィクションとして書いているけど、じつは事実。だからアジテーションとかそうじゃないかとかどうでもいい。こっちはなんらかの子どもです、としか言いようがない。何かの子どもで、誰かに言われてることを清く正しく一語一句忘れずに永遠に死ぬまで墓場まで持っていっちゃう人。そうじゃなかったら、できんやろ、一〇年も死にたい人間の電話受けながら、相手の名前を聞かずに三〇万振り込むなんて。

坂口　無茶苦茶な話がもう一つある。息子のゲンが生まれた日のこと。おれはある女の子を養子でもらうと言って連れて帰ったことがある。『家族の哲学』〈59〉でも出てきたけど、これも事実。その子はうちに来てから五日後に、フーちゃんにお母さんと呼んでいい？と言ったら、フーちゃんはすごく素直な人で、まだお母さんモードじゃないから、まだじゃないかなって答えた。そしたら、その日の夜に見せしめのように家族の真ん前でオーバードーズした。それが、ゲンちゃんが病院から戻ってきた日なんだよね。

だから、その時には横にフーちゃんのお母さんもいるわけ。おれはまた目が据わって、知り合いの精神科医と電話して、それから二四時間経った。恭平さんもうだめかもしれんから、救急車呼ぼうかと会話を交わして、おれはその子と一緒に病院に行き、胃の洗浄か何かして帰ってきた。フーのお母さんから「恭平、ゲンが生まれたばっかりでこれはないやろう」と。「あなたが守る人はどなた？」って言われた時に、おれは「いやお母さん、そいつは壁の向こうで自殺しまっせ。おれは壁の向こうで自殺されるより、壁の内側で自殺されたほうが清々しいからそれをやるしかないんですけど、うちらの坂口家はうちらでしかわからないから、お母さんはフーが無理だと思ってうちから離れたら助けてあげてくださいと言った。おれはフーちゃんにクレジットカードも全部渡していて、すべての給料も振り込む。だから、常にフーちゃん自身に選択権があって、一生保証することが結婚したときからのおれなりの約束事だった。そのうえで、おれはその子に壁の外側で死なれるぐらいなら、壁の内側でもしかしたら目ん玉飛び出て、死骸が見えるかもしれないけど、その姿を子供たちにも見せたいと思った。なんでみんなトラウマを恐れるんだ。トラウマがあったっていいじゃないか、そのひとたちがぎりぎりおれたちが触れた状態だったのなら。でも、この意見に賛同してくれるのは、救急隊員と刑事しかいないわけ。みんな現場も見ているやつなんよ。

南島　ふつうはそうした経験がトラウマになり、のちにそのひとの人生を苦しめるものになったりしそうですけど、坂口さんにはその気配が微塵もないですよね。そこが坂口さんに対する一番の疑問かもしれません。それは建築としての自分が立ち上がるための根幹にかかわる部分でもあると思います。いのっちの電話などで他人のトラウマについては無数に聞いているはずなのに、坂口さんはそれに影響されて、つまり他人のトラウマが引き金となって、自分のトラウマが思い出されてくることもおそらくないのですよね。それはなぜでしょうか。

坂口　それは原音楽としてのおれのハーモニーがずっと鳴り響いているからじゃないかな。リコーダーのような軽い余韻を永遠に残しながら。でも、非常に音楽的に解読しない限りはおれのやっていることは理解できないと思う。ぜんぶ金色の糸でつながっている。互いに織り込まれていって、何かのテキスタイルが織り込まれている。そういう意味で、おれの手仕事としての編み物＝テキスタイルはもちろんテキストだし、編むと編纂するで編集するという行為にもつながる。それにこれはブランケットとしてのファブリックを作るってことでもあるから、最小限度のシェルターを作ることにもつながっていく。

でも、おれはそれらを声のオブラートで作っていく。心学校はいまおれの声による繭のなかにある。声のインサイドにいる。だれもいまアウトサイドにいないはずなんだよ。それは昔で言うと、音頭とか音の頭《かしら》、チーフ・オブ・ミュージックだし、もっと言えば、チーフ・オブ・サウンドなんだよね。おれカーンっと鳴ってくれればいいから、あとは分かる。絶対音感をミュージックのなかではなくて、サウンズの中に見出してしまって、石ころの音のなかに絶対音感を見出して、そこから構造物をつくれちゃう。

南島　音楽的建築からもっと純粋化された音にまで、自分自身のシェルターとしての建築の成り立ちを細かく分析されていることが分かりました。音を最小単位として作り出されるハーモニー的な空間は、孤独になる場所ではなく、何人も排除されることのない半ばユートピア的なイメージがあるリアリティをもっているのですね。

坂口　でもそのなかの恐ろしさというか、計算違いで鬱になっていくから、誰もおれを助ける人がいなかった。そのときにアオちゃんがパパはそこで一人はまずいって言ってくれた。赤ん坊の格好をしてもいいから、私たちの真ん中に布団を敷いてその時だけはどうにか起きても、つかまり立ちをしたって言ってみんなで喜ぶぐらいの展開を作らないとまずい。そう言って、アオが立ち上がってくれた。

つまり、家族といういわゆる社会から与えられた言葉から完全に離脱して、**四人という最小の共同体**がおれのなかに生まれた。そのなかでこの心学校もはじまっている。つまり勘違いも含めていえば、この心学校はなんらかの神話的なものであるし、さんずいに青を書く方の清書のような気がする。いままでの自分の人生を清書するという感覚。そこは聖なるものじゃなくて、もっといわゆる根源的で固有なもの。自分にしか鳴っていない音。それは石の音なのだけど、そこから構造物を作ることができてしまっている。これは危険なことでもある。音が鳴らないものとしてあったら、もう聞かないんだから。

南島　それはとても怖い言葉ですね。たしかに原音楽の反対には、何の音も鳴っていない状態がありえる。そして、自分ではもう音が鳴っていないと思うことで、余計に自分に自信が持てなくなったり、塞ぎ込んでしまうことがありそうです。本当は音が鳴っているかもしれないのに。

坂口　この章の最初に取り上げた彼にはそういう原音楽があったと思う。彼は喋りたくてずっと会場にいたけど、おれは結局喋らなかった。おれは人と話せば話すほど、肉体が摩耗していくから。おれは簾《すだれ》の向こうにいて、とにかく声だけを届けるしかない。そういう意味で、おれにとって本を書くことは身を守る手段。肉体の交わりは家族だけに限定させてもらっている。それが求心的な共同体を避ける、第一の意味なんだよね。

南島　坂口さんは共同体を作る人とも思われているし、少なくともひとを集める能力がさまざまな表現活動をアウトプットする際に発揮されているわけですが、しかしその集まりが求心性を帯びないようにしているということですね。それは意図的にという部分もあるでしょうが、そもそもの坂口さんの身体や生活のあり方や向き不向きからきているものだと思いました。

坂口　そうね。おれはひとと会えない。だから三島由紀夫〈60〉みたいになれないし、ならなくて済んでいるとも言える。三島は自分の恐怖心をもとにした恐怖政治をして死んでしまう。おれとの共通点はおそらく胎児の記憶があること。おれはお父さんに確認したら、おれが生まれる前にお父さんとお母さんが喧嘩しているのを覚えていた。それがいまから三、四回ぐらい前のときにおれが鬱で危ないところまでいったときに、おれは親父にお母さんとある喧嘩をしたときに最後、謝ってないから、お母さんに謝ってくれって言った。

親父が嘘ついて結婚して、うちのお母さんが孕んだのだけど、そのあとにお母さんはその嘘を知ることになって、おそらく堕胎をすることが脳裏に宿ったのだと思う。おれにはそれが見えた。おれはそのときに自分が死ぬかもしれないと思ったんだけど、恐怖心やトラウマは一切残っていない。おれはその産婦人科で一番長く子宮にいたひとなの。一七日間。ふつうであれば、もう絶対、帝王切開なんだけど、帝王切開できなくて、堕胎はできなかったが、死産しかないという展開だった。

だけど、なぜか母ちゃんが暴れてジャンプしまくったから滑り落ちた。たぶん、おれはわざと自ら出なかったんだよね。つまりおれが最初にやった行為は自殺なんよ。おれ自殺未遂をして、ここに生まれてしまっている。ふつうだったら愛着障害とか言われそうだけど、何一つ悲しいかなトラウマが残ってなくて、むしろトラウマが残っているひとに憧れがある。

運動は止まらない

南島　いのっちの電話の向こうから発せられる「死にたい」、「生活困窮者」といった社会から与えられた言葉は、それらを使うことでより深く自らのトラウマを探す行為に近いものだと感じます。現在の苦しさを生み出している原因を過去のなにかのトラウマに見つけて、そのトラウマとどう付き合っていくかを考える。これがまさに社会から与えられた生きることの苦しさへの対処法だと思います。

美術作家にもそれが創造の源になっているひとは多いと思います。しかし坂口さんの場合は、そうした思考回路のまったく外にいると、本人は自覚している。もしくは、トラウマという概念を知らずに生きることができている。そうでもなければ、さきほど話されていたように一〇年もの間、いのっちの電話を続けることができないはずです。アジテーションとは何かへの抵抗があって、力を発揮しますが、その力点におくことができそうなトラウマがはじめからないとすれば、坂口さんがそもそもアジテーションなど不可能な人間なのだというのは頷けます。

坂口　そうだし、同時にアジテーションは運動をとめる行為とも言える。本来、なすべきそのひとの運動を止めちゃってる。おれにはアジテーションはできないから、そのまま運動も止まらない。ひとがてんかんで倒れたら、ハンカチ持って、口に入れるしかないんよ。そんなことは大学生なんだからしなくていいというアジテーションができれば、私たちはまだ幼いんだというアジテーションができれば、動きが止められるんだけど、おれはその動きが小学生の頃からないんだよ。これが生まれた時からチューニングがブレないやつの生きる姿なんじゃない？　みんなもそういうところがあるからおれの話を聞いてくれるんだと思うよ。

どこかしら、みんなだっていのっちの電話をやって出続けるという生き方をもちろんすぐはできないけれど、それをしているあなたをおかしく思わないという気持ちがあるわけじゃんね。それってもう理解してくれるってことだと思う。おれはそうやって不思議と励まされている。

心学校でおれは教えるといって、実際には教えているわけではない。おれが感激したことをただ伝えているだけ。でも、それが学びなんだよ。おれが感激して、その真似をしてきたこと。真似るといってもそれは他人の何かではなく、おれのもとにあった原音楽を真似ている。

おれは世界にも稀有な胎児の頃に感じた原音楽、石ころの音をいまだに保持している人かもしれない。別にそれは社会には何の役にも立たないと思われるかもしれないけど、実際におれの社会では役に立っている。それがわかったから、自殺したい人にその人の原音楽を見つけて、その人の社会を作らせることが大事だとおれは思い至った。

〈52〉**奥田愛基**

1992年生まれ。明治学院大学在学中に東日本大震災を受けて制作した映画『生きる312』で国際平和映像祭グランプリと地球の歩き方賞を受賞。2013年に「特定秘密保護法に反対する学生有志の会（SASPL）」、2015年に学生による政治運動団体SEALDs（自由と民主主義のための学生緊急行動）を創設したメンバーのひとり。父は日本バプテスト連盟の牧師で、特定非営利活動法人「抱樸」代表の奥田知志。

〈53〉**独立国家のつくりかた**

2012年に講談社より出版された坂口恭平の著作。新政府樹立というアイデアは話題を呼び、坂口の存在を世に知らせる出世作となった。本書の冒頭では坂口の現実に対する根本的な疑問が列挙される。「1．なぜ人間だけがお金がないと生きのびることができないのか。そして、それは本当なのか　2．毎月家賃を払っているが、なぜ大地にではなく、大家さんに払うのか　3．車のバッテリーでほとんどの電化製品が動くのに、なぜ原発をつくるまで大量な電気が必要なのか　4．土地基本法には投機目的で土地を取引するなと書いてあるのに、なぜ不動産屋は摘発されないのか。5．僕たちがお金と呼んでいるものは日本銀行が発行している債権なのに、なぜ人間は日本銀行券をもらうと涙を流してまで喜んでしまうのか　6．庭にビワやミカンの木があるのに、なぜ人間はお金がないと死ぬと勝手に思い込んでいるのか　7．日本国が生存権を守っているとしたら路上生活者がゼロのはずだが、なぜこんなにも野宿者が多く、さらに小さな小屋を建てる権利さえ剥奪されているのか　8.二〇〇八年時点で日本の空家率は13・1％、野村総合研究所の予測では二〇四〇年にはそれが43％に達するというのに、なぜ今も家が次々と建てられているのか」。独立国家とはこれらの疑問に答えるための機関であり、現代美術におけるひとつのコンセプトだと言えるだろう。

〈54〉**宮崎四兄弟**

宮崎八郎・民蔵・彌蔵・寅蔵の四兄弟。熊本県荒尾村（現・荒尾市）の地主であり、学問を収め、また武芸者でもあった父・宮崎長蔵の「四民平等」の教えのもと、孫文の辛亥革命を思想面、経済面の両方から支援した。

〈55〉**ゲゼル**

シルビオ・ゲゼル。１８６２－１９３０年。ベルギー（当時はドイツ領）生まれの実業家、思想家。１８８６年ブエノスアイレスに移住し、自身は事業に成功したものの、当時の政府の通貨政策の失敗から国家の経済政策や通貨問題に関する研究をはじめる。１９１６年に代表作『自然的経済秩序』を発表。土地所有と貨幣に共通する当時の不平等を解決するため、「土地の国有化および国の地代収入の母親年金としての配分」と「定期的に持ち越し費用が発生する通貨の導入」を提唱した。第一次世界大戦後にはバイエルンでアナーキストらによるバイエルン・ソビエト共和国が立ち上がり、ゲゼルはその金融担当相を務めたことで、国家内乱罪で拘留される。死刑を求刑されるものの、自らの弁論により無罪を勝ち取り、余生をベルリン郊外で過ごした。

〈56〉**エンデ**

ミヒャエル・エンデ。1929－1995年。ドイツの児童文学作家。シュタイナー学校で演劇を学び、1960年に『ジム・ボタンの機関車大旅行』を出版。翌年にはドイツ児童図書賞を受賞。代表作に『モモ』（1973年）や『はてしない物語』（1979年）などがある。『モモ』に流れる思想はシュタイナー教育のなかで知ったと考えられる、シルビオ・ゲゼルによる時間とともに減価する通貨の考え方などに影響を受けている。詳しくは河邑厚徳『エンデの遺言――根源からお金を問うこと』（2011年）を参照。父はシュルレアリスム画家のエドガー・エンデ。

〈57〉**ヘンリー・ジェイムズ**

1843－1916年。アメリカ生まれでイギリスで活躍した英米文学を代表する小説家。子供の頃からアメリカとヨーロッパを旅行し見聞を広げる。1864年に初小説『ある年の物語』を執筆、1875年には『情熱の巡礼、その他』で初出版。代表作にある裕福な若い女性の顛末をヨーロッパとアメリカの旧世界と新世界の対比を重ねて描いた『ある婦人の肖像』(1881年)、怪談形式をとった心理小説の名作と呼ばれる『ねじの回転』などがある。

〈58〉**沖島勲**

1940-2015年。映画監督、脚本家。日本大学芸術学部在学中に日本赤軍の元メンバーである足立正生とともに映画『椀』、『鎖陰』を制作。1969年に『ニュー・ジャック&ヴェティ夫婦生活讀本』で監督デビューを果たす。つづけて前衛的なピンク映画を制作する一方、1975年からはテレビドラマ「まんが日本昔ばなし」の脚本を手掛けて、その数は1200本を超える。

〈59〉**『家族の哲学』**

2015年に毎日新聞出版から出版された坂口恭平の4冊目の小説。坂口の家族が、それぞれ実名で登場する。彼らの生活への取材をもとにした半自伝であり、半家族伝。それまでの小説『幻年時代』(2013年)、『徘徊タクシー』(2014年)では坂口恭平本人が主人公であったのに対して、本書では同じく恭平がもう一人の恭平を幻視する場面が描かれている。それは自分でありながら、自分ではない他なるものへと擬態するそれ以降の小説『現実宿り』

（2016年）などへと通じる、内なる他者の存在の登場だと考えられる。。

〈60〉**三島由紀夫**

本名は平岡公威。1925－1970年。作家。1947年、東京大学法学部を卒業。大蔵省に勤務後、翌年退職し作家生活に入る。ニヒリズムを根底にもちつつも、独自の美意識に貫かれた小説を多く執筆した。1970年、『豊饒の海』を書き上げた後、陸上自衛隊市ヶ谷駐屯地において割腹自殺。代表作に『仮面の告白』（1949年）、『金閣寺』（1956年）、『豊饒の海』（1969－1971年）などがある。

第3回
美術

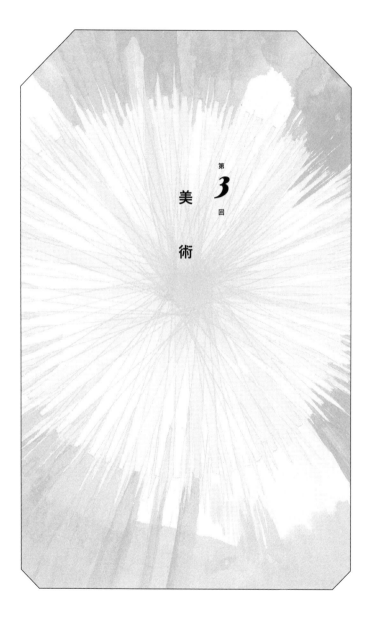

自然よりも自然らしい状態

南島　坂口さんは建築からはじまった人に思われるけれど、制作のための知識や経験は、かなり美術から来ていますよね。

坂口　おれが最初の写真集『0円ハウス』〈61〉を出したのは二〇〇四年で、それからもう二〇年経つ。そのスタートは出版のふりをして、美術作品でもあったから、今回はそういうところも話そうかと思う。

南島　そうですね。まずは坂口さんの作品について考えてみたいと思います。

坂口さんは絵画を語るときに「ディープイリュージョン」という言葉を多用されますよね。ピカソでもジャクソン・ポロックでもいいですけど、彼らの二次元の絵画のなかの分裂した空間性や手を入れることができそうな空間のあり方に坂口さんの目は鋭敏に反応されています。ぺらぺらのはずの空間が深く見えたり、厚みがあるように見えたりする体験ですね。

こうしたイリュージョンにはふたつのパターンがある気がします。ひとつはシュルレアリスム、もうひとつは四次元派とでもいえるものです。シュルレアリスムとは超現実主義ですが、彼らの超現実とは現実とまったくかけ離れた空間ではありません。現実のなかにあるより現実とでもいうべき空間です。言葉だけを追うと、坂口さんの関心は意外とこちらに近いように見えます。ただ、第一回目にも言われていた通り、坂口さんは本来つなぎ合わされないはずの空間同士の接合部の処理にものすごく執着している部分があります。バラバラな空間が混在しているけど、秩序だった空間をどう絵画のなかにつくり上げるか。その前提には、空間が断裂している必要があると思います。それからすると、シュルレアリスムの超現実は、あまりにも連続性が強調されすぎているのかもしれません。

対して、坂口さんの口からよく出てくるのはクプカ〈62〉やピカビア〈63〉、デュシャン〈64〉の名前です。彼らの探求は、まったく位相の異なる空間やレイヤーの切断面をいかに一枚の絵画として接合させるかという挑戦だったと思います。このような説明の仕方は、坂口さんの初期の細密画や一部のアクリル画には当てはめられそうですね。ただし、問題はパステル画です。この三年ほど描き続けられてきたパステル画はそれとはどうも違うように見えます。坂口さんの画業の変化を辿ろうとしたときにパステル画はどう位置づけられるのでしょうか。

坂口　おれのパステル画をフラクタル解析している研究者がいる。普通は人間の手で作るから、ぜんぶランダムで、二次元なら二次元という解析結果が出て、もしある規則性が発生すると、その二次元からちょっとずれていく。いわゆるそれがフラクタルの発生している状態だと思うけど、なぜかおれのパステル画にはフラクタルが発生しているらしい。しかもそのフラクタルが、いわゆる二次元から三、四次元に増えているなら分かるけど、まったく逆で一・六次元と言われた。ちょっとおれも笑っちゃった。つまり、おれのパステル画は、**平面ですらない平面**になっているということ。

南島　絵画をフラクタル解析された人はなかなかいなそうですね（笑）。平面ですらない平面とは具体的にはどういう状態だと思えばいいのでしょうか。

坂口　一応、言葉で表すと、それは**自然よりも自然らしいっていう状態**。でも、おれのなかでは二〇世紀美術のクルト・シュヴィッタースからラウシェンバーグへ至る流れと、クプカから始まってジャクソン・ポロックに至るようなふたつのディープイリュージョンのラインがあった。彼らにものすごく影響を受けてきたという自覚がある。ピカソの《アヴィニョンの娘たち》〈65〉もそうだし、キュビスム〈66〉のなかの四次元にも興味があった。

つまり絵を描くときには常に四次元、五次元、六次元とかいう方向に向かっていこうっていうのがモチベーションとしてあった。もっと言うと、路上生活者の研究もそういうつもりでやってた。どんな小さいものでも、全体のどの部品になるかがわからない状態で、木の棒を彼らは拾っている。何に使うかわからないけど、いつか使うような気がするぐらいで拾ってくる彼らの感覚も次元の話として捉えていた。子供のときに広く感じた公園が大人になってみると全体的に〇・七倍ぐらい小さくなる経験にも近い感覚。そういう空間の深みや広がりにおれはディープイリュージョンを感じていた。

この発想にはグリーンバーグ〈67〉の影響がかなりあると思う。でも、フラクタル研究者に話を聞いたら、むしろ次元が下がっていた。キュビスムの前のクプカとかが、カンディンスキー〈68〉とは別の次元でやろうとしていたことに、おれの場合はさらに建築も経験したうえで、しかもそこにはアルフレッド・ジャリ〈69〉らの文学的な四次元感覚、遠くではジョイス〈70〉とかが誰にも分からない形でそれを実現していた。

南島　坂口さんの初期の「立体読書」〈71〉や「Dig-Ital」〈72〉のシリーズなどの細密なドローイング、またスケッチではその狙いがよく表れています。ただ絵だけではなくて、文学つまり、テキストでもそうした高次元の空間を作り出そうとしていたのですね。

坂口　でも、おれが書く文章って結局、どちらかと言うとベケット〈73〉的で、なにもなくて、からっぽ。いろんなものを含意することもできないし、奥に手を入れられるような、いわゆる近代芸術が見出した平面上の多次元性はない。結果的に自己評価としてはいつも壁にぶつかって、どうしてもイリュージョンを作ることができていない。パステル画ではさらにそれが加速していると思う。

いまやパステル画で、おれはただ「あっ」と思って写真にとった風景を模写しているだけ。半分はクプカを目指したおれがこんなもんかと悩んでいた部分があった。そのなかでジェフ・クーンズ〈74〉のペインティングを見ると、明らかにディープイリュージョンができているし、梅ラボもそれができている。四次元からインターネット上のみんなの思惑を含める次元までいけている気がする。

その反面、おれのパステル画を見ると、一・六次元だからフラットどころじゃなくなっている。ただの雑木林というか、ただの木みたいな感じになっている。そうしたら、この前、音楽家の折坂悠太が熊本市現代美術館の個展のオープニングに来てくれた。彼は「これはちょっと言っていいのか分からないですけど、こんなに心に引っかからない六五〇枚を見るのは人生で初めてです」と言っていた。

どういうこと？　と思ったけど、六五〇枚を見ても誰も疲れてないんだよね。それはたぶん引っかかりがないからでしょう。そこらに繁茂しているコケを見ても疲れないのと同じ。絵画は絵画という枠でみんな新しい空間を表現するために色々な試みを取り入れるけれど、おれのパステル画にはそうした試みが何もない。熊本の個展は、その意志薄弱な絵たちが表層をたゆたっているイメージ。折坂悠太はそれが自分にとっては興味深いといった。ネガティブな意見ともとれるけど、一・六次元というのはそういう意味かもしれないと思った。

彼の奥さんは美術史を勉強していた人で、卒業論文がジャスパー・ジョーンズだった。おれが意識しているクルト・シュヴィッタースからラウシェンバーグのラインから考えると、まったくもってジャスパー・ジョーンズのあのストライプはディープイリュージョンを感じないわけ。あまりに表面的すぎて、もう壁しかない状態。でも、奥さんはその表面がイリュージョン化されていないことに何か意味があるんじゃないかと考えていたらしい。今回の個展はこれまでは奥行きのなさを悩んでいたけど、ないことの面白さがあるのかもしれないことに自信をもった展示なのかもしれない。でもそれが何なのかはまだわかっていない。

南島　とはいっても、ディープイリュージョンの探求のさきに一・六次元のパステル画にたどり着いたのですよね。

坂口　そういうことでもあるんだけど、おれはどうやってもできなかった。

南島　つまり奥行きのできなさを極限まで突き詰めた結果、パステル画になってるということですか。

坂口　そうそう。でもできないにもかかわらず、自分で参考に見るのはいつもそういう作品たちだった。シンディ・シャーマン〈75〉の写真とかね。同じキュビスムでもブラック〈76〉じゃなくて、ピカソ派だったたし、でもピカソもキュビスム以外はなかなか入ってこなかった。だけど、だんだんと気持ちが変わってきた。最近は晩年のめちゃくちゃなピカソも見られるようになった。よくわからないけど、いいと思うようになってきていた。

南島　パステル画へと至る兆候はあったんですね。ぼくは大学院でジョルジョ・モランディ〈77〉について研究していました。モランディはピカソらが活躍している時代に彼らの影響を受けながら、自室の机のうえに瓶や壺をおいた静物画を描き続けました。モランディも当然、キュビスムを知っていて、キュビスム風の絵画を若い時は描いていたし、またル・コルビュジエの初期の絵描きとしての活動であるピュリスム〈78〉についても情報収集をしていたようでした。おそらくよく調べたうえで、結果的に作られたのはディープイリュージョンとは（おそらく意図的に）離れた静物画でした。

坂口　たしかにモランディを見ているとおれにちょっと似ていると思う部分がある。おれの研究の世界のなかではジャスパー・ジョーンズもモランディも格下感が強い。だから、結局おれは近代芸術の呪いから抜け出せていない。グリーンバーグは読んじゃうし、藤枝晃雄〈79〉さんのジャクソン・ポロック論も気になって読んじゃう。自分でもそんなに読むなと思うんだけど、常に近代絵画という父性がこう言ってくる。奥行きのない絵画など絵画ではないと。はっきり言ったら、それがもう苦しかったんだろうな。

南島　なるほど。

坂口　それでパステル画が出てきた。**自分の体から出てきたものは本当の安心**だから、自分では不本意ながらも、パステル画を描いているいまは、おれはある意味でジャスパー・ジョーンズやモランディのラインにも近い。だけど、ギリギリで自分の中にマティス〈80〉もいるのかなと思って最近はずっと見てたりした。ただマティスもまだインテリなんだよね。おれが嫌いだったのはモランディ、ロスコ〈81〉、ジャスパー・ジョーンズ。でもやっぱりおれとちょっと近いのかもしれない。ただその薄っぺらさが自分でどんどん苦しくなっていくと思うのだけど、ジャスパー・ジョーンズは何か余裕もってそっちにいけていた気がする。とにかく、おれも人一倍、こうやって美術的な悩みを抱えてるんだよ。

パステル画に見出した「流れ」

南島　グリーンバーグを読んでしまうというのはいい話ですね。

坂口　どうしてもね、グリーンバーグはおれを追い込んでくるんよ。それでジェフ・クーンズもシンディ・シャーマンもそこをちゃんと解決してクリアしていく。一見下手な絵にしか見えないんだけど、作品のなかに含まれているディープイリュージョンはどんどん複雑化していると思う。草間彌生の初期作にもディープイリュージョンはある。草間の初期作をコレクションしていたのは誰だっけ？

南島　ドナルド・ジャッドですね。

坂口　彼の初期のドローイングもディープイリュージョンがうまくいってなくて、おれと似ていると思いつつ、立体ではうまくいってるじゃんと思う。じゃあ、おれはどうすんだって感じ。そういう人たちの仕事をずっとチェックしながら、なんか悔しいなみたいな。でもサイ・トォンブリー〈82〉はたぶんそういうことすら考えてないからすごいなと思ってみても、おれはサイ・トォンブリーの方にはいけない。そんなことで悩んでたら、おれの友達が面白くて、サイ・トォンブリーよりおまえの方が一〇〇倍、字がきれいだよって言ってくれた。おれのまわりでサイ・トォンブリー嫌いなひとも珍しいけど、そいつは嫌いで、その理由がサイ・トォンブリーは雑ってことだった。

南島　それはぶっ飛んでますね。いい視点（笑）。

坂口　おまえは字を崩さないし、文字を書くときはちゃんと書くじゃんって（笑）。おれも自分で悩んでることはちゃんと自分が参照する絵をリンクさせながら、みんなに伝えている。そうすると、おれの友達は、いや恭平のほうがよくない？　とか言うんだよね。それがけっこうおれには救いなのだけど、同時におれのなかに勝手に作り出したディープイリュージョン狂のおれは友達やっぱりわかってないなとも思ってしまう。

それも申し訳ないと思いながら、おれはグリーンバーグの力が強すぎるから、それは苦しいという時期があったよ。

南島　坂口さんの言うディープイリュージョンの前提にはとても限られた閉鎖空間がある気がします。そもそも、なぜ深い空間やレイヤーを作り出す必要があるのかといえば、目の前に浅く薄い世界が広がっていると感じるからですよね。そのなかにありながら、はるかに深い次元へと入り込んでいくためにディープイリュージョンが重要なのだと思います。

もともと、勉強机の下に家を作ったところから始まり、路上生活者の住まいの観察、モバイルハウス設計へと展開していった坂口さんの建築的探求も、まずは狭い空間を設定して、そこから無限に広がる想像上の空間を作りだす冒険であったといえないでしょうか。

坂口　不思議なのは、そうした思考をしてきたんだけど、最近気づいたのはそれじゃなかったんだっていうこと。おれは近代美術がとても好きだけど、なるべく自分ではそういうことは関係がないように振る舞おうとしてきた。でも近代美術の探求を続けてしまう。そうすると窮屈になって鬱になっていく。それをやめるとすごく楽に進んでいった。もうありえないぐらいただのペラペラの窓でしかないパステル画が七〇〇枚揃ったときにうわっと思ったわけ。自意識がもう完全に消失して、ただそこには流れだけがあるように感じた。

　それで自分が表したいものが空間的なものではなくて、時間や流れみたいなものだと気づいた。やっぱりそっちの方だと楽なんだよね。空間の四次元や奥行きについて考えるとどこかにアンカーを打つ必要があって、その窮屈さから解放されたのが今回の個展だった。もっとジャスパー・ジョーンズを見ようと思えたし、グリーンバーグとも距離がおけたような気がした。何かもっと敷居が低くなって枠がないような、いろいろなものをいわゆる「絵画」というものとして、見られるようになった。

南島　アンカーとは絵画における消失点〈83〉だと考えてもいいでしょうか。伝統的な絵画にはもちろん消失点があり、近代絵画やそれこそグリーンバーグ以降ではその消失点は否定されていくように見えるけれど、そのゲームも含めて、まだ消失点のことを気にしているんですよね。むしろ、古典的な画家よりもピカソの方が消失点の存在について徹底して思考していた可能性すらある。でなければ、キュビスムはできなかったはずです。ただ、そのアンカーとしての消失点があること自体が、なにか鬱へと通じるきっかけだったのかもしれません。いまの坂口さんは消失点なしの絵画へと向かおうとしているのでしょうか。

坂口　そういう意味ではおれにとって時間が必要だし、いわゆる生活というものも必要。ぜんぶ流れだから。だからといって、歴史を無視するっていうことはできないことはもうみんなわかってるよね。自分の好きなように香取慎吾〈84〉のように描くなんてもう不可能なはずなんだよ。一時的にはできるかもしれないけど、生きて死ぬまでやり遂げようと思ったら不可能。

若い人もこれから何かをやろうとしたときに、いわゆる歴史性から抜け出して自由になろうとした途端にみんなの手が止まり、仕事も止まっていく。そういうときにどうすればいいのかの実験をおれはずっとやってきたつもり。不可能だと気づいたときに、とんでもないものが襲ってくるから。でも活動を止めずにやるためには高い値段で絵を売っていくというのが、スーパーフラット〈85〉以降に絵を売り出した作家たちの切り抜け方かもしれない。

草間彌生も実は初期の鉛筆で描いたネット画がやばいけど、そのあとはぺらっぺらになっていって、最後はルイ・ヴィトンとのタイアップになっちゃう。そんな中でもあのように生き延びて、途方もないものと向き合っているのかと思うと、もちろん見方は全く変わってくる。みんなそれぞれの中で不可能なものに向き合ってるんだと思うと謙虚にもなる。

でも同時におれとしては美術は常に絵ではあるんだけど、絵だけではなくて、画家の人間性や生き方もすごい重要。この社会から灯が消えた時に、その人のもとに人々が集まるか?とかね。だから、いのっちの電話もやり続けている。これはもうおれの中では福祉としてやりつつも、常に美術としてもやっている。それぞれは平面的でペラペラなんだけれども、そういったものが連続性のない状態でもつづいていく流れを生み出すことで、その隙間に人が何かしらの芸術性を感じてくれたらいいなという思いがある。

おれはこういうことも何ひとつ無意識ではやっていない。すごく意識的にやって、すごく意識的に失敗をし続けている。でも自分なりの答えっていうのは常に出してるのかもと、いまは思えている。

南島　いまの答えはパステル画であるということですね。

坂口　そう。極薄だけど、アンフラマンス〈86〉とはぜんぜん違う。ただの表面。そのときにおれが最近、テキスタイルという言葉を使っているのは「なんかかわいいな」ぐらいでも感想が言えるから。だから、ファブリックを作ることにわざと向かって行っている。もっと前向きにこの表面を追求してみたい気持ちもあるのかもしれない。

一番やりやすい資本主義とはなにか＝どうやって四次元で描くか

南島　それはいわゆる芸術作品として絵画を描き、いかにしてほかの表現物に対して特権的な位置におくのかという戦いではなく、それこそ畑を耕すように絵を描いて、絵画とほかの活動を等価に並べるための努力をしているように見えますね。生活で生まれる創造と制作をすべて、一・六次元に整えていくチューニング作業を、私たちは熊本の個展で目撃している。しかし、それは何をしていることになっているのでしょう。かといって、なんでも作品であるというのではなく、それを作品と呼ぶためのジャッジははっきりと坂口さんのなかにはありますよね。

坂口　もちろん。それを売っているわけだから、常にそういう意味ではアンカーは打たれている。資本主義と言われたら、もちろん資本主義。でも奥行きと一緒で、そこから逃げるつもりもないと思っている。もっと言うと一番やりやすい資本主義っていうのが何だろう？という問いと、どうやったら四次元で描けるだろう？という問いはほぼ同じ目標としてある。何度やってもできないけどね。でも続けることによって、一・六次元みたいな変なことが起きたりする。自然より自然らしいというのは、アール・ブリュット〈87〉とはちょっと違うだろうし。

南島　アール・ブリュットや素朴派〈88〉と自分の創作物の線引きは坂口さんがいつも意識されていることの一つですよね。一方では素朴派を謳っているように見えて、他方ではこれまで話してきたように美術史的な参照点や技術的な蓄積のうえに成立していることも明らかにしています。この二重性を重要視されているのでしょうか。

坂口　面白いのは、全部におれは近づくんだよ。アール・ブリュットにも近いし、風景画を描いていても、セザンヌ〈89〉には永遠に引っ張られてる。おれはいま絵を描いている人のなかではけっこうなぐらいセザンヌを気にしているひとだと思うよ。

南島　いまセザンヌに真剣に向き合おうという意志のある画家がどれだけいるでしょうかね。かなり少数派な気がします。

坂口　おれは今だにセザンヌに引っ張られている。クプカの前にセザンヌだから。東出版から出ているジョアキム・ギャスケの『セザンヌとの対話』もめっちゃ読んじゃってる。晩年の水彩画もちょっともうすごすぎる。

あれはディープイリュージョンとは異なるものとして見ているし、セザンヌ、マティスからミルトン・エイブリー〈90〉のラインの側もいきたいっちゃいきたい。あと意外と最近はアグネス・マーティン〈91〉が自分のパステル画の感じには、はまっている気がするから、今度は巨大な3×3メートルで、ただもう空の雲一つない空みたいなのをパステル画で、抽象とも言わずに描いてみようかなと思ったりしてる。

結局、当たり前だけど、おれも過去の画家を参照し、自分なりの技術的な段階を考えて制作している。つまり無意識ではなくて、ある目的に向かってやっている。さらには目的には合わないけど、なぜか気になるひとも頭にひとつ入れておく。前からボナール〈92〉はボナールで気にしてるんだけど、何がいいのかはわからない。でもこういう会話って楽しい。

南島　純粋に楽しいですね。

坂口　そのことは忘れたくない。ただ、おれはあんまり絵描きの人と話すことがなくて、いつも毎日絵を送って見てもらってるのは角田純〈93〉さん、たまに送るのは鈴木ヒラク〈94〉、彼もおれと同級生。あとは独学で油絵を描き続けている平松洋子〈95〉さん。絵を見せて、絵の話をしているのは本当にこの三人だけ。絵かきサークルとしてはすごい小さい。角田さんはそれこそ五木田智央の作品を見てた人で、おれはそれとはまったく違う方向だけど、角田
まっすぐ絵を見てくれる。

そういえば、ピカソのキュビスムのカタログレゾネを毎日見ているけど、ピカソもやっぱりものすごいよ。

南島　そうですね。ただなぜあんなに作風を変化させなければならなかったのかというのも、ピカソのひとつの病として考える必要がありますよね。

坂口　躁鬱だと少しわかる部分もあるけど、最近はまたおれのなかにピカビアが入ってきている。でも彼の変化はなかなか言語化しにくい。初期の風景画はめっちゃいい。もう本当に何か白痴の描いた絵みたいな感じなんだけど、おれにとっては強烈なインスピレーション源になっている。

おれも模倣するのが好きだけど、模倣と思わせつつそこを模倣するかって部分を模倣することで乗り越えていくラインはありでしょう。模倣の仕方が分かっていないときはサイ・トォンブリーの真似をしてた時もあったけど、そういうことではないんだよね。

南島　ほかに最近、気になっている作家はいますか？

坂口　最近知ったのは、ロバート・ライマン〈96〉。このひとは美術館の監視員をしていた。

おれもいま毎日美術館に行っていて分かるのは当たり前だけど、作品を一番見ているのは監視員。たぶんライマンが関心をもっているのは、美術館の壁の色とか、ちょっと遠くにある作品の見え方だった。ブライアン・イーノ〈97〉でいうと、ちょっと疲れて入院しているときにかすかにラジオの音が聞こえた音。そういうのにピンって気づいていく感じがある。

南島　アンビエントへの感性ですよね。

坂口　そう。おれも自分が空間を作る上でいつも感じるのはそこ。そのアンビエントな部分の品が良ければ人は楽になると思ったりしてる。個展でもみんなが坐ってるソファーは、おれが表面を全部替えた。布張りだったのを自分が信頼できる職人に馬の皮にしてもらった。それだけで全然違う。新しく買うとなると資産になってしまうから、表面だけを着替えさせてあげる。

　だから、今回は美術館の展覧会をするとはどういうことかを勉強しているのだと思う。あとレンタルはできるから、監視員の坐る椅子を鉄パイプからハンスウェグナー〈98〉のYチェアに替えた。自分の中では美術館で美術を見るっていうのはヨーロッパの美術館で作品を見るということだから、そのときの気持ちよさを作ろうとした。

態度芸術への道

南島　ところで、坂口さんは趣味の良さについてどう思われますか？　空間のここちよさは趣味のよい空間と言い換えられることがあります。そのときの趣味の良し悪しは無言で人を寄せ付けることもできますが、同時に直感的に趣味を分からない人たちを排除することにもなりますよね。坂口さんも趣味の良さもかなり意識されたうえで活動されつつも、趣味の共同体は作らないような身振りもしている気がします。

坂口　おれが何かものを世に出すときのチェック項目としていつも趣味がいいと思われすぎないけど、品があるようには仕上げておこうというのはある。趣味の差別化ではなく、品をよくする。それは空間として入っていきやすいようにするという意味。自分の趣味趣向で空間をわざとあんまり塗らないのは大事なこと。そういう意味ではけっこう控えめな人だと思われているところもあると思う。

面白かったのは、ワタリウム美術館で個展したときにあまりにもきついなと思って、ワタリウムのひとに展示期間を少なくできませんかと頼んだら、そんなことを美術家から言われたのは初めてよと言われて、ちょっと嬉しかった。おれの活動のベースには、自分の作品を見せたいという気持ちはあんまりないんだよね。見せるなら、できるだけ独りよがりにはならない方がいいと思っている。でも、よくそれでおれ自分で美術館を作ってるよね（笑）。

まぁ趣味でいえば、自分の趣味がいいとは思わないけど、趣味が良いものも悪いものも見た上での、ある程度中庸でやっている自覚はある。だから、おれはコマーシャルギャラリーには所属できないんだよね。あれはやっぱりある種の趣味の良さで展示しているから。そういう意味では自分で美術館をつくるなんてダサさの極限。けど、ちょっと気持ちがいい。何ならちゃんと人には誤解された方がいいとすら思ってるし、恥ずかしがられた方がいいというのもちゃんと意図的にやっていて、それは成功していると思う。それこそ美術批評のラインに上がらないことも長く続けるためには大事。

南島　心学校以外にも坂口さんの活動には○○塾や○○大学のような学校を謳ったものがいくつもあります。そうして学校を作ってしまうのも、ダサいことなのかもしれませんね。個人で活動して、独り勝ちする状態を作ればいいのに、そうしない。美術館や学校を作ることで、資本主義社会とは別の回路で人々に坂口さんのもっているものを還元してしまう。

坂口　でも、自分の中では学校はブラック・マウンテン・カレッジのひとつの授業としてやっているイメージがあるし、いのっちの電話も同じ。そういう実験は文学的な仕事でもしているつもりで、最初の小説『幻年時代』でもギリギリ攻めた。それが伝わる人には伝わって良かったと思っている。

『現実宿り』もはじめに反応してくれたのは保坂和志さんで本当にうれしかった。保坂さんが文学的にやろうとしていることは、おれにとっては本当にエンカレッジ以外の何物でもなかったから。それこそおれがグリーンバーグ的なものに囚われているときに本当に作品を作るってどういうことかを教えてくれた。あれは本当にもう芸術の態度だと思う。

だから、保坂さんの態度はおれの中では美術の側から読める。もっと言うとそれは接合部分を見ろと言った石山修武ともリンクしてくる。そういう建築的な感覚がすごく大切で、おれはそれを『独立国家のつくりかた』のときは態度経済と呼んでいた。けれど、実態は**態度芸術**なんだよ。

〈61〉『**0円ハウス**』

2004年にリトルモアから出版された坂口恭平の処女作。総工費0円で作られた路上生活者の住まいをフィールドワークした早稲田大学での卒業制作をもとにしている。実務的な視点として、近作のパステル画集に至るまで、作品集では英文の併記を徹底している点は海外の流通がはじめから念頭にあったことがわかる。

〈62〉**クプカ**

フランティセック・クプカ。1871－1957年。現在のチェコ出身の画家。幼いころに母を亡くし、また重度の天然痘を患ったことから神秘世界に関心を持ち始めて、神智学や降霊術を身につける。プラハ、ウィーンの美術アカデミーで学び、神秘主義的な絵画を制作する。1912年にサロン・ドートンヌで出品した作品で、非具象、抽象絵画の最初期のひとりに数えられる。

〈63〉**ピカビア**

フランシス・ピカビア。1879－1953年。フランス生まれの画家、詩人。生涯にわたって、具象－抽象、印象派、キュビスム、フォービスムなど目まぐるしくスタイルを変えた。第一次世界大戦後にニューヨークにわたり、デュシャンらと「ニューヨーク・ダダ」を結成。

ヨーロッパに帰ったあともダダの活動をつづけつつ、シュルレアリスムに参加するなど、ある一つの流派に自らを位置づけることをしなかった。絵画のほかに詩やバレエの舞台装置も手がけている。

〈64〉**デュシャン**

マルセル・デュシャン。1887-1968年。キュビズムや未来派に影響を受けた抽象絵画から始まり、既製品を意味する「レディメイド」を発案。1917年には男性用小便器に「R.Mutt」とサインした《泉》を発表し、これが現代美術の始まりとも言われる。代表作に《彼女の独身者たちによって裸にされた花嫁さえも》(1915-1923年)や「遺作」と呼ばれる《1．落ちる水　2．照明用ガス、が与えられたとせよ》(1946-1966年)があり、今日までデュシャンの言葉や作品をめぐってはさまざまな解釈がなされてきた。

〈65〉**《アヴィニョンの娘たち》**

1907年のパブロ・ピカソの作品(ニューヨーク近代美術館所蔵)。バルセロナのアヴィニョン通りにあった売春宿をモチーフにしている。女性の身体は同時には見ることのできない多視点から描かれているため、キュビズムの特徴をもっともよく表した作品と呼ばれている。

〈66〉**キュビスム**

ポール・セザンヌに影響を受けたジョルジュ・ブラックとパブロ・ピカソによって始められた、20世紀の革新的な絵画運動の代表例。対象を切子面状に分解して、多視点的に描く手法で、立体派とも訳される。

〈67〉**グリーンバーグ**

クレメント・グリーンバーグ。１９０９－１９９４年。アメリカの美術評論家。アヴァンギャルドとキッチュやメディウムの媒体性に着目したモダニズムの美術論により、同時代の抽象表現主義を理論的に擁護した。そのメディウムを基礎とした還元主義はさまざまな批判に晒されたが、現在でもよく参照される絵画論のひとつである。

〈68〉**カンディンスキー**

ヴァシリー・カンディンスキー。１８６６－１９４４年。ロシア出身の画家で、理論家。クロード・モネの「積み藁」を見て、何かを再現するのではない絵画のあり方を発見する。その後、ドイツに渡り、１９１０年に《無題》を発表し、それが抽象絵画のはじまりともされる。翌々年『芸術における精神的なもの』を出版し、自らの抽象絵画の制作を理論的に明らかにした。１９２２年からは長らくバウハウスで教鞭を執った。

〈69〉**アルフレッド・ジャリ**

1873‐1907年。フランスの劇作家、詩人。ブルターニュ生まれ。大学受験のためパリへ上京後、象徴主義の作家たちに出会う。1894年に詩文集『砂の刻覚書』でデビュー。1896年、シュルレアリスムや不条理文学の先駆といわれる戯曲「ユビュ王」が上演され、スキャンダルとなる。形而上学を超えたものを扱う哲学として「パタフィジック」を提唱。破滅的な生活を送り、34歳で病没。

〈70〉**ジョイス**

ジェイムズ・ジョイス。1882‐1941年。アイルランド出身。20世紀を代表する文学者のひとり。1903年にユニヴァーシティ・カレッジ・ダブリンを卒業。ノーラ・バーナクルとダブリンの街をデートした1904年6月16日が、のちに実験的な小説『ユリシーズ』(1922年)の一日として扱われる。『ユリシーズ』に加え、代表作として『若い芸術家の肖像』(1916年)や『フィネガンズ・ウェイク』(1939年)などがある。

〈71〉**「立体読書」**

坂口恭平が小説のなかに立ち上がる空間を視覚化した読書方法であり、それを描いた絵のシリーズ名。基本的に細密なモノクロのドローイングで架空の建築物や人物が描かれ、その空白を吹き出しのような形で無数の文字が埋めている。

〈72〉「Dig-Ital」

白い紙に油性ペンで描かれる架空都市の絵。立体読書にも通じる細密さであるが、立体読書はまだ小説のテキストに参照元があったとすれば、「Dig-Ital」では対象が消えて、坂口の内側にだけ存在している都市の姿が描かれている。のちのパステル画とは異なり、この時期には、坂口のまなざしは彼の内部に浮かぶイメージへと向けられていることが分かる。

〈73〉ベケット

サミュエル・ベケット。1906-1989年。アイルランド出身の劇作家・小説家で、ヌーヴォー・ロマンの先駆者、アンチ・テアトルの旗手。1927年にダブリンのトリニティ・カレッジを主席で卒業し、その後パリで知り合ったジェイムズ・ジョイスより影響を受ける。1946年ごろから本格的にフランス語で小説を書き始める。代表作に小説三部作『モロイ』『マロウン死す』『名づけられないもの』（1951年）、戯曲『ゴドーを待ちながら』（1952年）などがある。1969年にはノーベル文学賞を受賞。

〈74〉**ジェフ・クーンズ**

1955年生まれ。アメリカの現代美術家。幾何学的な造形のもと、資本主義社会で流通する様々なイメージを盗用する「ネオ・ジオ」の作家として知られる。その後、誰もが知るポップアイコンをステンレス製の彫像にする作品群で、世界的な評価を得た今日の国際的なアートシーンの中心人物のひとり。

〈75〉**シンディ・シャーマン**

1954年生まれ。アメリカの現代美術家。1977年に始まった作家自身が被写体となり、既視感のある映画のワンシーンのような写真のシリーズ「アンタイトルド・フィルム・スティル」で知られる。マスカルチャーのなかにある撮影者と被写体、ジェンダー間の非対称性などを明らかにしつつ、そのイメージの起源のなさからシミュレーショニズムの作家として位置づけられる。近年はSNSを通じた作品制作にも取り組んでいる。

〈76〉**ブラック**

ジョルジュ・ブラック。1882-1963年。フランスの画家。セザンヌの自然を円筒、球、円錐として扱う造形思想に基づいて、パブロ・ピカソとともにキュビズムを始めた。1908年の《レスタックの家》はブラックのキュビスムの最初期の作品である。

〈77〉**ジョルジョ・モランディ**

1890－1964年。イタリアの画家。ジョルジョ・デ・キリコ、カルロ・カッラと並んで、形而上派画家に数えられる。自室で机上の瓶や壺を描き続けた。

〈78〉**ピュリスム**

純粋主義の意味。1918年からシャルル＝エドゥアール・ジャンヌレ（のちのル・コルビジュエ）とアメデオ・オザンファンの2人が始めた絵画運動。主観的で装飾性に陥った当時のキュビスムを批判し、普遍的な合理性と機能性に純化した芸術の必要性を訴えた。

〈79〉**藤枝晃雄**

1936－2018年。美術評論家。クレメント・グリーンバーグの提唱したフォーマリズムに理論に基づいて自らの批評活動を展開させた。主な著書に『ジャクソン・ポロック』（1979年）や『モダニズム以後の芸術 藤枝晃雄批評選集』（2017年）などがある。

〈80〉**マティス**

アンリ・マティス。1869－1954年。フランスの画家。エコール・デ・ボザールで象徴派のギュスターヴ・モローに学ぶ。1905年のサンドートンヌの出展作が「野獣派」

を意味するフォーヴィスムと呼ばれ、新しい絵画の動向を生んだ。キュビスムの影響を受けながらも、単純な色彩と形態からなる独自の作風を通じて、絵画の平面性を探求した。その表現は絵画やデッサンに留まることなく、切り絵や教会装飾までに及んだ。

〈81〉**ロスコ**

マーク・ロスコ。1903－1970年。ロシア出身で、アメリカで活動した画家。初期にはアンリ・マティスに師事したミルトン・エイブリーにならった具象画やシュルレアリスムの影響を受けた作品を制作。アメリカの失業者救済の公共事業に従事したのち、1950年代以降にはキャンバスに矩形の色面を描き、宗教的感情を惹起する絵画からカラーフィールドペインティングの先駆者と呼ばれる。

〈82〉**サイ・トォンブリー**

1928－2011年。アメリカの画家、彫刻家。ブラック・マウンテン・カレッジでロバート・マザウェルに師事。1953年にはアメリカ陸軍に暗号制作者として従軍した。1957年にはローマに移住し、当地の古代文化を一つのインスピレーション源として制作をつづけた。淡く塗られた色面の上から、芸術の起源である洞窟壁画のひっかき傷にも子供の落書きのようにも見える線とカリグラフィーを織り交ぜた絵画作品で最もよく知られる。

〈83〉**消失点**

絵の中で空間を表現するパース（遠近法）を用いる際に設定される点のこと。

〈84〉**香取慎吾**

1977年生まれ。元SMAP、現「新しい地図」のメンバー。アイドル活動と並行して、美術作家としても活躍する。画商の父の影響で絵に親しみ、岡本太郎やジャン＝ミシェル・バスキア、大竹伸朗のファン。職業画家ではなく、あくまでも好きなこととして絵を描いている。主な展覧会に「BOUM! BOUM! BOUM! 香取慎吾NIPPON初個展」（2019年）、「WHO AM I -SHINGO KATORI ART JAPAN TOUR-」（2023年）がある。

〈85〉**スーパーフラット**

超平面の意。日本の現代美術家の村上隆が西洋の遠近法的な空間とは異なる日本的な平面表現の特性を言い表した概念。

〈86〉**アンフラマンス**

極薄、超薄の意。マルセル・デュシャンの死後に発見された彼のメモにあった言葉。定義は定かではないが、絵画における二次元性から三次元、より広くあるものが別のものへと変わる状態変化の過程で、その境界に立ち現れる領域を指している。余熱や余韻のような、そこにはもういなくなった何かを感じる、痕跡として理解してもいい。坂口が心学校の第1回で、自らのアーカイブの考え方として提示した「アーカイブ・ザ・デット」はひとびとの忘れられた振る舞いを記憶するという意味だったが、それはアンフラマンスをアーカイブすることに近い行為だと言えるだろう。

〈87〉**アール・ブリュット**

生の芸術の意。1940年代にフランスの画家ジャン・デュビュッフェが提唱した概念で、主に芸術の正規教育を受けていない人々による制作物を指している。

〈88〉**素朴派**

ナイーブ・アートとも表現される。意味はアール・ブリュットと重なる点が大きいが、素朴派には原始民族による表現も含む。それらがパブロ・ピカソやジャクソン・ポロックに代表される抽象表現主義に影響を与えることで、モダニズムの時代のなかで評価が高まった。

〈89〉**セザンヌ**

ポール・セザンヌ。1839-1906年。フランスの画家。クロード・モネやピエール

＝オーギュスト・ルノワールらによる印象派が目に映る、瞬間的な光のきらめきを描こうとしたとすれば、セザンヌはそこで消失した堅固さを絵画のなかに取り戻そうとした。セザンヌはそのために自然を円筒、球、円錐として扱い、フォルムの復権を問うた。この考え方はのちキュビスムの誕生へと繋がった。

〈90〉**ミルトン・エイブリー**

1885－1965年。アメリカの初期モダニズムを代表するひとり。極端にディテールを排された構図に鮮やかな色面から描かれる人物画で知られる。のちにマーク・ロスコなどカラーフィールドペインティングの画家たちの色面構成に影響を与える。

〈91〉**アグネス・マーティン**

1912－2004年。アメリカの画家。淡い色彩で塗られた水平のラインと格子からなる絵画で知られる。ミニマルでありながら、瞑想的な印象を与える作品には、抽象表現主義や東洋哲学からの影響が窺える。マーティンも躁鬱病を抱えており、制作にはその治療という側面もあったのだろう。

〈92〉**ボナール**

ピエール・ボナール。1867－1947年。フランスの画家。1989年にはポール・ゴーガンに学んだモーリス・ドニ、ポール・セリュジエらと「預言者」を意味するナビ派を結成。ゴーガンからの平面性や装飾性に加えて、屏風や掛け軸といった日本美術からの大きな影響を受けて、絵画を制作。後年は、妻マルトとともにル・カネの別荘で暮らし、水浴するマルトを書いた多くの名作を残した。

〈93〉**角田純**

1960年生まれ。1980年代より広告・出版のアートディレクターとして活躍。それに並行して「音と形のあいだにあるもの」をテーマとして絵画の制作を続けてきた。2021年からは山梨の山中に新しいアトリエを構えている。

〈94〉**鈴木ヒラク**

1978年生まれ。現代美術家。東京藝術大学大学院美術研究科修了。線を描くことと言葉を紡ぐことの、オブジェとイメージの境界を指し示すための発掘行為としてドローイングを捉えて、その概念の拡張を自らの制作のなかで続けている。2016年からは鈴木と中原一樹のコレクティブが運営するドローイングの展覧会や作家情報を提供するプラットフォーム

「Drawing Tube」を始めた。

〈95〉**平松洋子**

1958年生まれ。エッセイスト。食と文化などをテーマに執筆活動を続ける。2006年『買えない味』でドゥマゴ文学賞を受賞以降、賞多数。渡辺京二の声掛けで創刊された熊本の文芸誌「アルテリ」にも過去寄稿している。

〈96〉**ロバート・ライマン**

1930年生まれ。アメリカの美術家。ニューヨーク近代美術館で警備員の仕事をしながら、抽象表現主義の絵画を見続けたことが制作を始めるきっかけとなる。作品は白一色に矩形というミニマルなもので、「白の画家」と呼ばれる。

〈97〉**ブライアン・イーノ**

1948年生まれ。イングランドの音楽家、音楽プロデューサー。アルバム『Ambient 1: Music for Airports』（1978年）でアンビエント・ミュージックを提唱したとされる。光や電子機器を用いたヴィジュアルアートも手掛ける。また環境慈善団体や人権慈善団体の寄附などアクティビストとしても活動する。

〈98〉**ハンス・ウェグナー**

１９１４－２００７年。デンマークの家具デザイナー。１９２７年に家具職人による展示会に触発されて、Ｈ・Ｆ・スターバーグに弟子入り。１９３６年から１９３８年までコペンハーゲンで家具デザイナーの基礎を身につけ、１９４３年には自らのデザイン事務所を設立。生涯に５００脚以上の椅子のデザインを手掛けて、椅子の王様と呼ばれる。

第4回
音楽

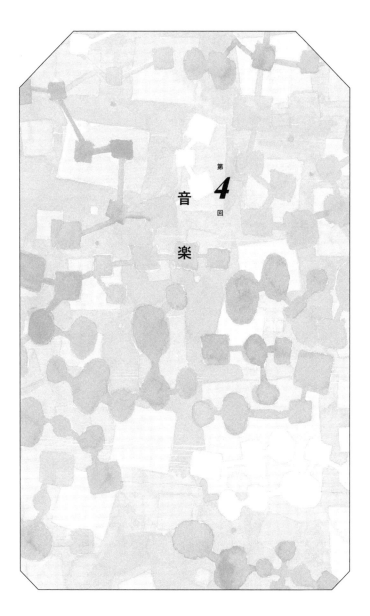

坂口　おれは前回話したように、美術では西洋やアメリカの近現代美術を研究したうえで制作している。ただ研究はしていても、おれの場合には頭でっかちになっていくと、しっかりと鬱になっていく。毎回それがある極点まで行くと、なぜか鬱状態が訪れて、そこで一回それまで積み上げてきたものがシャッフルされる。

南島　鬱は何かをしようとするとそのためのモチベーションや思考が一旦停止してしまうというイメージをもっていましたが、むしろシャッフルされるという感覚なのですね。

坂口　シャッフルというか、鬱状態のときは論理的な思考が止まらなくなって困る。躁状態では素直に何も悩まずに、直感に基づいて作業できるけど、鬱になると、それができない。苦しいときは自分の中で音楽もまったく鳴らない。

南島　坂口さんが躁から鬱になる状態変化は何と似ているのでしょう。心学校のなかでも言及されたロジェ・カイヨワの擬態の話を思い出します。カイヨワによれば、擬態とはどんなものにでも姿を似せることではなく、自然界では有機物が無機物になることを意味します。カメレオンが植物の葉の色に同化するのが分かりやすい例ですね。常に生きているものが死んでいるものになるのです。

だとすると、鬱になるのは自分を石のような無機物化すること、そして躁になるのは、そこからもう一度有機物になる動きだと言えます。つまり、躁鬱と擬態のプロセスは重なるのではないかと思っていました。ただ、いまの話を聞くと、鬱状態とは動きが止まるのではなく、それが止まらなくなる状態だと言えそうです。

坂口　鬱の時は今の私たちが現実に社会と同期して生きているときに使っている言葉で、ものすごく理詰めで考えることとしかできなくなる。でも、本当はそうではないということを、おれは『現実宿り』で示したはず。『現実宿り』の初稿は、第二章以降は鬱で苦しくなり、そのあとの六章分は自分の駄目なところをただ書き連ねた文章がもともと小説の中に入っていた。それは本にするときには全部カットしたのだけど、その鬱期のテキストはいったいなんだろうかと今でも思う。

『坂口恭平躁鬱日記』以降は、鬱期の文章は坂口恭平という人間を知るための参考文章としてしか出せていない。おれは鬱の時も社会の言葉が頭に渦巻いているから、一日五〇枚ぐらい書いてしまってその内容がひどすぎる。記憶と感情が完全に切れてしまっている向こう側の誰かが書いているのだけど、なんか本当にかわいそう。

南島 坂口さんは前回までに戦後アメリカの現代美術に対する憧れがありつつ、それがどうしてもできないから、いまはパステル画に至っているという説明をしていました。じゃあアメリカの現代美術の中心にあるものは何かと考えてみると、それは名を失うこと、つまり匿名になることではないでしょうか。ポップアートでも、ミニマルアートでも、それこそ名を複数を持ったマルセル・デュシャンを受け入れた土壌にも通じている気がします。名を名ではなくしてしまう意志みたいなものですね。

坂口さんが読んでしまうと言っていたクレメント・グリーンバーグのモダニズムの考え方も突き詰めると、作家の無名性へと向かうはずです。作家が名を失うときに作品は真に自律するからです。それはピカソにはできないことでしょう。

ただし重要なのは一度、名を失ったものがウォーホルやジャッドなどの固有名として再び浮上してくるという流れにあると思います。パステル画は、そのために一度、名を失う過程なのかもしれません。少し強引な気もしますが、坂口さんにはパステル画のあとにもう一度、名が帰ってくる予感のようなものはありますか。今日は音楽回なので音楽に引き付ければ、坂口さんにとって音楽も名を名ではなくしてしまう、サインのない何かを作るという行為と言えませんか。そのうえで再び、坂口恭平という名が浮かび上がってくるかもしれない。

坂口　おれは美術については理路整然と話せるのだけど、音楽は不思議なことに難しい。どんなに掘り下げても、音楽はもう素直に歌うしかなくなる。だから、主語を自分からずらして分析してみることはできないし、そういう対象ではない。

南島　つまり作品じゃないってことですよね。

坂口　そう。音楽は作品ではない。鬱の時はひとつも歌が生まれない。けど、詩だけは生まれる。苦しいから何もできなくなって、自分の躁のときに作り上げた文学や美術の文化はズタズタに破られて、社会から求められる理詰めで責められて、がんじがらめになっちゃう。おれの場合にはそういう無数のマルチ社会にぐるぐると巻かれていく。『独立国家のつくりかた』ではレイヤー思考を提案したけど、鬱のときにはレイヤー思考の負のスパイラルに入って、多元的な社会が見えて、それに苦しめられる。

でも、それぐらい社会はひとに無力感を感じさせようとするエネルギーが強いってことだとも言える。おれの場合は比較的、ひとよりも敏感にそのエネルギーを受け取ってしまうだけで、みんなも本当は感じているはず。よく「恭平さんは直感のみで動ける男ですよね」みたいに言ってくる人がいるけど、実際は鬱のときは直感も働かなくて猛烈に社会の理詰めに苛まれている。特に、おれの仕事は芸術的な行為に関係するから、鬱の時に浴びせられる社会的な言葉との活動のギャップが途方もなくなってしまう。そのときに音楽はおれを癒してくれない。

もう一つの現実で

南島 鬱の時は歌えないし、音楽は聞こえもしないのですか？

坂口 うん。まったく聞こえない。それでギリギリ死に物狂いで見つけた方法が二〇一六年に書いた『現実宿り』でやったこと。橙書店の田尻久子さんに、鬱で頭の中が砂漠だと言ったら、そんな経験が私にはないから、その感覚を私に教えるようにちょっと書いてみてと言われた。鬱のときは頭のなかはマルチ社会には巻かれていくけど、自分の体は砂漠にいたんだよね。

ただ鬱で困っている人なら分かると思うけど、鬱のときの体では普段はまったく感じていない重力さえも感じてしまう。メタファーではなく、本当に重力が効いている感覚がある。だから、おれはいつもこの現実は各々あるうちの一つの現実でしかないだろうしか言えなくなる。

私たちが今いるこの現実とは別のもう一つの現実では、おれは汗をかいて砂漠でただただ歩いているように見えて、そいつに足はあるのかなんて想像をしながら、文章を書いていく。すると、どうも足はなかったみたい。だけど、それでも重力を感じていて、そこから自由にどこでも動けるかと思っても動けない。でも何でこうやって視点が変わるのかと思っていたら、私のうちのもう一人の私は風に吹かれているような、また別の視点の映像が見えてくる。同時に私がいなくなったところにまた違う自分が流れてきて、その風景を見ていたりする。

そんな風に現実を二重、三重、四重にしていく。それこそ幾億乗もあるようなイメージで、そのイメージの方がおれにとっては現実に近かったということを発見した。すると社会で苦しんでいるおれは、夢の中にいる人のようなイメージになっていく。そしたら今度は、ちょっとずつ体の軸足をそちらにずらしていく。ただ手法としてはいつも通り書くという行為は変えていないから、音楽的なもの。というかもし書かなければ、たぶんおれは自殺している。しかも鬱の時間の長さは体感的には三〇倍や四〇倍になったり、ものすごく伸び縮みする。その長さで社会の言葉がおれを突き刺してくるからね。

ただ、それはアヤワスカとかペヨーテ喰っている人と、状態としてはまったく同じはずなんだよね。はじめは重力を感じないで上がっていくのだけど、感じ始めるとバッドトリップに入っていく。でも、彼らにはシャーマンがいるし、集団でいるから大丈夫だと思える。そうすると、現実からちゃんと離脱しつつ、もう一つの現実の中で複数人と会うという状態が作れる。これはシャーマニズムと言われつつ、おれからすると、ちゃんとスタディ＝研究を積んだうえでの、鬱の解放に見える。

いのっちの電話では、それに近い方法をやっているつもり。つまりおれ自身が一応、司祭としていて、そこにいろんな人が「ペヨーテ食いました、これやばいんですけど」と電話を掛けてくる。そしたらおれが一緒に別の現実となる地面を作りながら、まずはその地面の上にいるということを認識していく。その地面は現実から離脱したあなたの現実でもあるけど、どこかでおれの現実との近接点がある気がする。すると、ここは触れているじゃん！というポイントが見つかったりする。単純に言うと、それがその人のいいところが見えた瞬間なんだよね。

そういう風にしてもうひとりの自分は実は砂漠のなかにいることを発見して、そのなかでリアリティを感じることができる。そっちに軸足を向けたときに、おれにはランドスケープが見えるようになった。その風景を描写することからできたのが『現実宿り』だった。おれの小説はただ風景を描写するだけだから、何かの伏線やメタファーは深読みすればあるかもしれないけど、基本的にはない。逆に言えば、とても素直な状態と言える。おれは、そうやってパステル画の前に『現実宿り』でこの方法を発見していた。

南島　坂口さんは現実に対して、いつも「社会」という言葉を強調されますよね。自己否定をあの手この手で仕向けてくる、無数の言葉の源としての社会。しかも、それらには名がないからこそ坂口さんにとっては厄介だし、嫌な質感を感じている。

坂口　社会は本当におれを突き刺してくるから。おれに否定の言葉を永遠と浴びせてくる。最近だと鬱は五日間だから、二四時間×五日で、一二〇時間。しかもそれが三〇倍に増えるから、三六〇〇時間、社会の言葉に打たれ続けなければいけない。ふつうは死ぬよ。自殺者が多い理由はよく分かる。だから、いのっちの電話は緊急でちゃんとやらないといけないと思って、自発的にやっている。

鬱と自殺の問題については、自分も危ない状況になるから扱えません、という問題とは違うと思っている。そういう思考回路は、本当は危険ではない状況のもので、本当に緊急の時、つまり目の前でひとが死にそうだったら、人間はその場から逃げるという選択をしない気がするからね。とりあえず、おれは爆弾が落ちない場所にいるからこっちに来いみたいな感じでそいつを引きずってでもこっち側に連れてくるんじゃないかな。いのっちの電話はそれぐらいの感覚でやっている。

さすがにその時にグリーンバーグは出てこない（笑）。そこまでいくと出てこないということは、やっぱり現代美術はゲームの世界で、こっちはリアリティが半端なさすぎる世界。だから、その現実のなかで自分が死なない方法を考えるという素直な方へと邁進できるようになる。それが、おれが鬱の時に見つける、いわゆる詩でそれらは登山をするときの頼みの綱やロープ、ザイルみたいなものだと思う。

友人の石川直樹は自分は数百万かけてエベレスト登山しているけど、お前は無償で、ひとりで躁鬱のエベレスト登ってるんだなと言っていた（笑）。でも重要なのは、鬱になると自分が鬱の底に落ちていっていると思うけど、最近の認識ではそうではないということ。おれは完全にロープを使って降りていっている。いのっちの電話にかけてくる人のほとんどはそのことに気づいていない。頼みの綱として、おれの中で本当にもうギリギリ頼れるのが詩であり、それがおれにとっては非社会の言葉であり、原音楽なんだよね。

音楽が生まれてくる感覚

南島　なるほど。少し整理すると、鬱で複数の社会にがんじがらめになっているときでも自分の体は砂漠の中にいるというイメージができて、そして砂漠で起きることを描写していくと、ランドスケープの存在が明らかになっていく。詩の発生は風景を描写するところから始まるのですね。

坂口　そう。ただ想像のなかで見えたものでしかないから、いわゆる現実は一ミリも入っていない、というか、詩はそうしてこの現実に絶望して、現実なんてなくなればいいのにと思わない限り書けるはずがないと思う。

おれの場合は、まずはそれが目に映る映像として出てくる。いまでも砂漠にいてまだ鼻の中に砂が入っているような気がする。イメージのなかで何重にも見える、自分のなかの一人は乾いて白骨化している人間のようなものなのかもしれない。といま思い出すだけで、彼に足が生えてくる。

いますぐにでも、彼が死ぬ前に泳いでいた海について書きたいと思う。彼は忘れもしないけど、もう何十年も見ることのない青い海の水。髑髏《どくろ》の頭蓋骨だけになってカランカランと転がっている、おれの頭の中に生き生きとした水が湧いてくる。脳みそも全部溶けて消えているのだけど、それでも残る記憶の水って何だろう。いまはそっちの水にすごいリアリティが感じられる。もうここまで来たらわかるよね？　この調子で掘っていけば、その奥からボーンって本当に水が流れるイメージが。**音楽が生まれてくる感覚**はこれに近い。

南島　いまの説明では鬱の時に自分の体が想像のなかでいる場所について描写することで風景が立ち上がり、それを続けていくと、いつの間にかどっと水が流れてくる。つまり風景描写から音楽が生まれてくることになりますが、その水が湧き上がってくるのには前もって坂口さんが認識できて、鬱の時に使うことのできる回路のようなものはあるのでしょうか。

坂口　風景の描写でいうと、あまりにも私たちのこの社会が視覚優位に作られているから、**本当ははじめから音は鳴っている**のだけど、まず見えるのは砂漠の風景。社会から与えられる風景を少しずつずらしていくのが『現実宿り』での実験だった。

ただその構造を理解していても、次の鬱のときにはまったく設定が変わってしまうから、それまでに培ったものではかなわない。音楽は常に忘却されてしまうし、それを前と同じやり方で取り戻すことはできない。

　おれが鬱のときにいくら南島くんが「坂口さん、音楽ですよ！」と言っても、映画で未来人が何かを言っているのに全然理解されないみたいな場面と同じで、まったく意味が通じない。でも、その回路も少しずつはおれも整理してきているとは思うから、いまは家族はそこまで心配してないみたい。

南島　社会から要請されるのは言葉だけではなくて、イメージでもあり、ひとは言葉と同時に見える世界そのものも制限されてしまっているということですね。そして、その状況を打開するためには、風景を自ら描写していくためのテキストが必要になる。

坂口　そう。前に首を吊った状態で電話してきた女子高生がいる。そのときにおれが言ったのは「頼むから何か見えんかい」ということ。とにかく目をつぶってもいいから、もうひとつ別の風景が見えないか聞く。でも「全然見えません」と言う。それは真っ暗闇だけど、実は夜だったりせんかね？　と夜だと思ってみるぐらいでやってみてもらった。そしたら、「何か明かりが見えます」と言った。

　電話は暑い夏のときだったけど、季節はいつかと聞いた。「足が寒いです。裸足みたいです。でも私ではなさそうだけど、動こうと思ったらこの体で動けます」、「なるほど性別的には一緒？」と聞いたら、「性別は合ってそうです」と答えた。その人間だけど、私ではない女性が裸足のまま冷たいってことはどういうことだろうかと考えていく。するとちょっと濡れて、くるぶしがずれているようだった。

「ちょっと待ってそれなんか水辺のとこ歩いてるけど、どういう場所？　足は痛くないか」と聞いたら、「痛くない」と答えた。「砂浜と思えば砂なのかもしれない」とも。近づくと、その明かりのある船が岸辺の砂に突き刺さっている状態だった。真っ暗のようで奥にはだんだん白い波の線が見えてきた。次にそれがストライプのように見えているから、ちょっと高い波に船が当たっているのを遠目から見ているような映像だった。不思議なことにおれにも目に見えたようにいまだに記憶している。

「船の中に人影は一応見えないけど、人がいないようには見えないみたい」と言ったから、おれが「なら近づこう」と言ったぐらいで、「もうそれで文章を書いて送ってくれ」と言った。いのっちの電話だとそっち側に流れる人はだいたい助けられる。だけど、それでも社会にとらわれる場合には、わざとおれはお金を振り込んだりする。三〇万振り込めばほとんどの社会的な問題が問題じゃなくなることを知っているから。むしろその心に気づいてもらうために払うってところがある。

もっと言うと、そのときにおれが歌を歌うとみんな一瞬一瞬、自分がそこの世界にいるってことが二重三重にぶれちゃうから、目が一回は戻るんだよね。音楽はそういうときに横からシュワシュワ、斜めからシャカシャカとどんどん入っていけるものではある。
前回までにいろいろ分割して、建築や文学の技術的な角度から説明してきたけど、音楽の話になると、全部そんなことではないということになるから面白いね。評論が書きにくい理由もそこにあるかもしれない。けど、そのおかげでみんながおれの活動に触れやすくなる瞬間もあるのだと思う。自分自身が本当に素直に歌うしかないというゼロ地点に定期的に持っていかれるからね。

そして素直にやるしかないっていうところからまっすぐ諦めずに進んでいくと、喜びを感じるように変化していく。それがパステル画では反転したといえる。つまり『現実宿り』では砂漠の中を描写するようにして鬱状態を書いていたのだけど、そのスタイルでいまは現実を見始めている。目もここでは使えると思って、もう一回思い直すみたいな感じ。その根本にあるのが音楽的な態度。その素直さが、極限までいくと完全に空っぽ状態にたどり着く。

すると第一回で話したように石牟礼道子が入ってきたりする。おれが道子の詩を歌うのだけど、それは道子と一緒に歌っているような状態に似ている。先祖との出会いのような感覚。はじめに南島くんが鬱状態は石化した、そういう塊になるんじゃないかという疑問を言っていたけど、おれからすると、まだ生まれもしない子孫や霊から少し変化したぐらいの子孫になっている状態のイメージに近い。

逆に言うと躁状態のときに入ってくる死者は、その状態でみんなが私を見てくれていて、そこから現実に戻ってきたときにおれは泣いてしまう。おれは死んだものが蘇ったものとして現実を見るという状態に近くなる。そうしたら、きっと入ってくれた人も嬉しいじゃんね。

鬱状態でもおれは空っぽは空っぽなのだけど、砂漠が体の中に入り込んでくるときの感覚を守るために石化する必要がある。だから、それは洞窟の中にこもってるように見えるけど、実は社会から自分を守るために非物質化する作業でもある。

完全に他者となった自分に出会う

南島　第一回でいのっちの電話は人々が入って来れて、一時的に憩うことのできる建築であり、シェルターであるとお話されていました。開口部があり、痩せ細ったひとや死者がそのなかに訪れるというイメージですね。それと同じように鬱の時にも自分を守るためにシェルターが作られている。けれど、そこにも開口部があるために、今度は社会の言葉に苛まれる。ふたつの開口部のあるシェルターとして、坂口さんの建築や路上生活者から学んだ家のあり方を考えることができそうです。

　もっと言うと、そのシェルターが一時的な仮宿であることも重要だと思いました。一旦入ってからすぐ出てこられる、つまり離れることができる場所から、安心が作り出されています。たとえば、今日、さまざまな陰謀論が流行っていると言われますが、この問題はそこで情報の交わされる共同体に一度くっついたら離れることが難しいという点にあります。実は根源的に考えていくと、坂口さんが小説でも主題として取り上げる家族はその最たる例かもしれませんが、とはいっても坂口さんにとっての建築＝シェルターは、家にもかかわらず、定住することから離れる力学が働いている気がします。

坂口　そう。おれからすれば、仮宿が必要なぐらいに現実の全面的な社会化が進んでいる。現実の現実じゃないところにまでも社会が押し寄せてきて、占領されて焼畑されているという実感がある。私たちが持っている多元的な現実が根こそぎ、もう木っ端みじんになって逃げる場所がどこにもない。

　そういう状況で、ある意味、躁鬱者の一つの役割は一万五〇〇〇年前から変わらないと思う。おれの中で一つの鍵となるのが詩のテキストで、その鍵がまだどこの錠前に差し込むかはまったく見えてない状態で錠前に流し込んで扉が開くと、なぜかいつもとんでもない分量の水がぶわーって流れて、その洪水に埋め尽くされて飲み込まれていく。ここで一回、自分は死ぬのだけど、それぞれのところで目を覚まして新しい生命として、ここは陸なのかとか、すごいサンゴが深いところまであるとか、目を覚ますとそういった景色がいろいろと広がっていく。

そのときに初めて音楽というものが流れるんだよね。あれは本当に涙が止まらない。その日は一日中音楽を聞いているもん。そういうときに今までいろいろなリズムでやってきたものがそれこそ飲み込まれて、もう素直に歌おうってなる。

南島 鬱明けというのは、直感に対する解像度が異様に上がっているような状態ですね。

坂口 そう。おれは鬱の最悪な状態から開けた時に聞こえてきた歌を歌うね。（坂口、ギターを弾きながら歌唱）

南島 ぼくが最初に坂口さんの曲を聞いたのは「魔子よ魔子」でしたが、その時と全然変わってないですよね。変な言い方ですけど、初心回帰というより初心よりもさらに前に遡っている気がします。かつての自分よりも自分になっていくというか、歌を聴いていて素の自分よりも素でいる他者がそこで発見されているという感覚がありました。

坂口 おれの場合はまた一か月後に鬱が訪れてしまう。それでもかかってこいやって本当に思えないのが面白い。毎回ありえないぐらい怖いから、その恐怖から赤子のようにならざるを得ない。

その意味で、おれにとって**鬱は社会との反作用**としてすごく重要なんだよね。もちろん命を落とす可能性があるものだから、本当に細心の注意をしながらだけど、でもここは自分と向き合うことのできる瞬間の兆しでもある。同時にもちろん、その瞬間が、みんなが社会にやられて自殺する大半の理由にもなっている。でも、いまのおれは鬱で自殺する原因は〇〇ですとかいう、現状の社会の診断を通した鬱への視点はもうないんだよね。いまこそ、**完全に他者となった自分と出会うチャンス**。おれはもうそれがわかった。けど飛ぶときは飛んじゃうから、悲しい。

南島　そのときは再び、名前を失うということですよね。

坂口　名を失うことだし、それは悲しくもあり、新しい自分との出会いの契機でもある。もっと言うと、おれの小説の主人公は名前をほとんど持ってない。途中でその人物が自分の過去らしきものを思い出すという行為はあるんだけど、おれは完全な他者と出会っているんだよね。だから個人の技芸を使って社会をびっくりさせるというような、驚かせとしての芸術行為はおれの中ではもうありえない。そういうものがあってもいいけど、それが三〇年も四〇年もその人を生かすかというと、そうではないと思う。おれは他者と出会うことさえできれば、その運動が始まるぞと思う。それは自分にとって励みになるし、多くの絶望とはもう全然毛色が違う。筋肉も全然違う。

だけど、その前に多くの人の命が失われていることを危惧してる。だから、いのっちの電話は必死にやっていいでしょう。実際に死にそうな人に紙を書いてもらって、それで歌を作るっていう作業もおれはやっている。一曲作ったら本当にその人の現実がボンッと現れてくる。あれは何なのだろう。もはや無心に他者と出会うところからしか、ある意味では芸術は考えられないと思う。これは抽象を作るという行為とも関係しているのかな。

現実を健康化させる

南島　そもそも抽象は人間固有の表現ではないし、ましてや芸術家みたいな個別的な表現でもないはずなんですよね。逆に具象を徹底することのなかに、人間的なものが見出せるかもしれない。カイヨワによれば、擬態とは自らを不活性物質化することでした。カメレオンが植物の色になるという行為も、抽象的な営為に近いものだと思います。パステル画は一見したら、明らかに具象画ですが、じつはそれが生まれる思考のプロセスは抽象のそれではないでしょうか。

坂口さんの初期作品は高次元の空間への関心に基づいて、抽象へと向かっていく時期でした。しかし、パステル画では非生物的なものを含めた普遍的な意味での抽象の作業へと接近していく。言い換えれば、一・六次元化していたことで、自然より自然になっていたというのは、それが抽象であることと限りなく同じ事態だと思います。カメレオンが葉の色に擬態するように、より抽象の純度をあげると、自然と見分けがつかないものが出来上がります。

坂口　その辺はもうちょっと詰めて考えたら面白そうだね。パステル画は制作の時間についても考えている。三年で一〇〇〇枚。この三年を一〇回続けると三〇年。そうするとおれが七四歳だから、そのときまで自分の作業が続くのであれば、やっと何か意味があるのかなって思うぐらいのスパンでは、ものを考えるようになった。

すべての現実に対して、もうひとつ別のすでに存在している現実があることにおれは気づいてきている。その現実に邁進できるような環境をどうやって作るのかが、おれがみんなに対して思っていること。みんながおれの現実に頼ってどうこうという話ではない。おれの場合は、今後も誰かと徒党を組んで何かと対峙するようなことは一生しないと思う。

そのために自分の中では常に音楽的空間だったり、音楽的接合部をイメージしてやっていきたい。

パステル画と今回の展覧会はその一つのケースとして実験しているけど、なんか永遠の運動みたいなものの気配を感じていて、それは面白いなと思う。今の芸術はどの社会にあっても一瞬にして資本主義と完全にドッキングしてしまう。段々と、もう商品を作っていることに近くなっている。といっても、それを批判して、全然違う、たとえばヒッピーの世界に向かってもしょうがないと思う。

南島　しかし、その永久機関性をなぜひとは原理的には実現できないものだとしても、ひとつの理想として追い求めるのでしょうね。

坂口　それは健康であるためだよ。おれの活動は健康論として認知をしていないと見誤るとは思っている。ニーチェの健康生成論というか、自分の作業にもそういうところがあると思うから、現実を健康化させるという意味での健康現実を作っているつもり。それは自分の肉体的な健康という概念だけではなくて、流れていく時間も精神世界も込みの生活における健康のことを意味している。

ただ健康と言っても、おれの場合、鬱の時はベッドの上のアスリートという時間もある。おれにとって鬱のない世界はない。その世界はおれのなかでは尊厳死に向かっていくことだけど、そっちではない気がする。ギリギリ自殺ができない世界がちょっと面白いんだよね。

南島　いまの話を聞きながら、ゴダールが最後に安楽死を選んだことを思い出していました。作家としての一貫性を強く感じた出来事でしたが、積極的な自殺ともいえる。この死のあり方をどう考えたらいいのでしょう。

坂口　おれは最後の最後を考えたときに、死からはもう一回生の方に戻っていたい。そのなかで残っていくものは残っていくけど、自分にとって本当に残っていくものはやっぱりすごく厳選されていく。自分の心の支えになるものが本当に必要ということがわかってきた。今回はいままで言語化されていなかった部分が言葉にできた気がする。今日はこれで着地としよう。

第5回 生きのびることについて

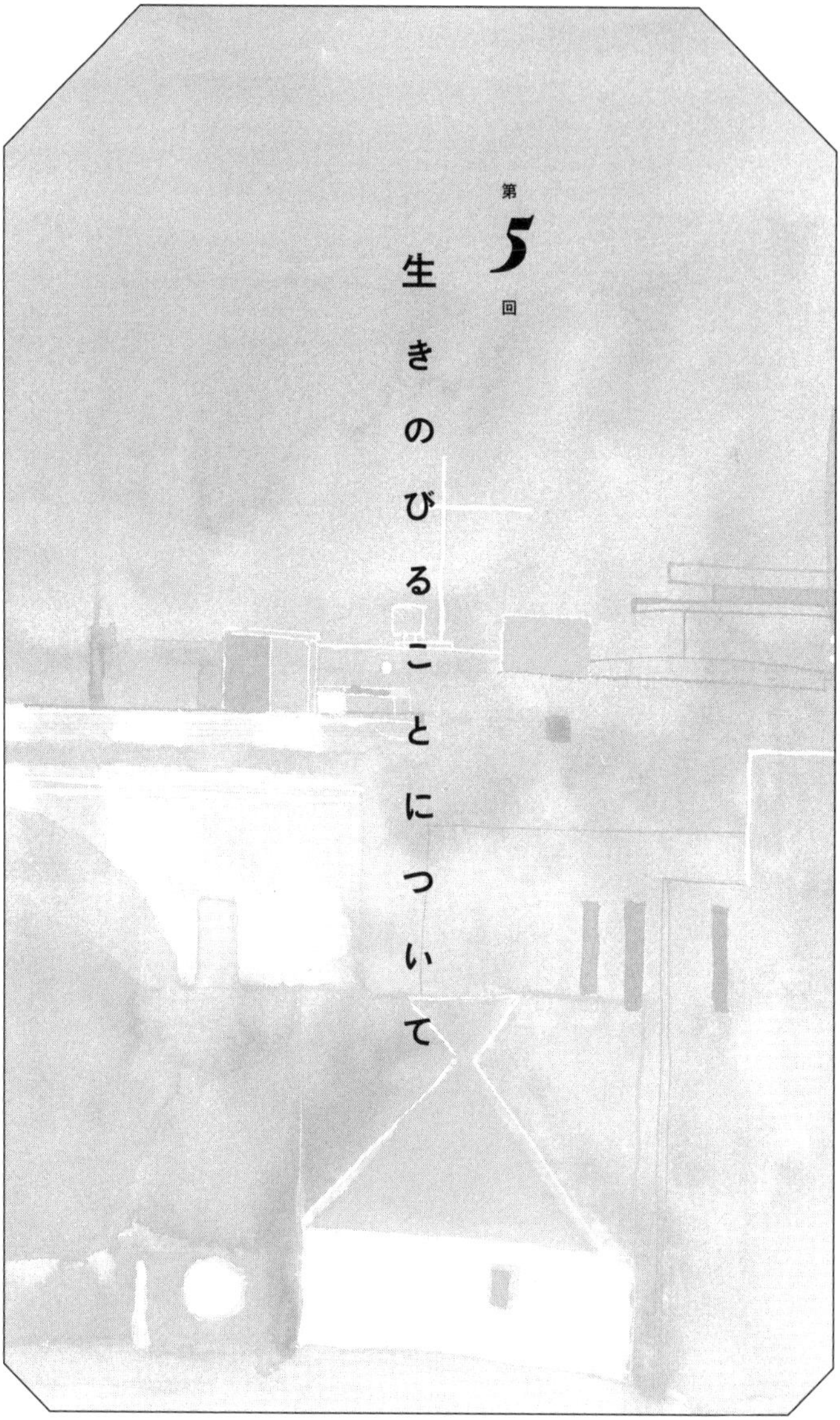

無能であること

南島　最終回は生きのびることについてです。振り返ると、この五回で印象的に使われていた言葉は、「無能」でした。坂口さんはさまざまな経験を積み上げてきたことを若者たちに伝えたいと言いつつ、でも最後には自分は無能であると話していました。その認識があるからこそ、たとえば編み物や畑をいきなり始めて、それらを生活に組み込むとともに、ひとつの制作行為として成り立たせることができているのではないでしょうか。今回は、無能であることから生きのびる方法について考えられたらと思います。

坂口　おれは自信を持っていないことには非常に自信を持っている。その点はみんながいろいろな仕方で落とし穴に感じるところかもしれない。おれは若い人、という言葉は年齢ではなくて、経験が浅い人という意味で使っているけど、そういう人たちにはこれからの社会では地獄が始まるぞという認識も含めて、生きのびる方法について、何か伝えられることがあると思っている。そのためのキーワードが「無能」だった。

無能の反対は自信がある状態で、基本的にはみんな自分に自信がないと何かの作業をしてはいけないと思っている。でも、それは凝り固まった考えだと思う。自信を持ってしまっているのは、その作業がすでにこの世界に存在する言語にくっついていることが多くて、他者との間に軋轢がない。社会との間にギャップがないから、みんなもいいねと言ってくれて、安心した状態が続く。けれど、それで現れたものが果たして面白いだろうか。おれの経験では、それはなかなか次に繋がらない。逆に、これはちょっと他人には見せられないなと思うもの、いま生まれたばかりの小鹿のような状態の作品の方が、自分にとっては本当に大事なものだと思える。

南島　社会との間にギャップがないということは、自分の自信がいまの社会の評価に依存しているということで、それは危ういということですね。そもそも、社会とは顔の見えない他者の集合体で、だからこそ、その社会は一瞬にして崩れ去るかもしれない。それに、その社会のなかで安心している限り、いくらでも競合相手が生まれてくるので、いつまで経ってもユニークな存在にはなれません。

坂口　でも、その時にそういう生まれたての表現をアウトプットするチャンスやスペースがないと感じてる。おれがいのっちの電話で掛けてきたひとにわざわざ詩を書かせたりしているのは、そうした場所へと投げ込んでみるという感覚がある。ただ言葉にするのは難しいけど、それは別に下手でも何でもやればいいということとはもちろん違う。

南島　みんな芸術家なのだから、作ればいいという話ではないのですね。

坂口　そう。めっちゃ簡単に言ってみると、いまはみんなのいいところの出方と使われ方が何かおかしいと思っている。そこを整えることに関しては、自分が自己治療をする上で身につけてきたものがあるから、自信を持っている。

南島　坂口さんが「みんな」という時のみんなは何か生き延びなければならない状況に自分があるいは世界があるという危機意識をもっているひとたちだと思います。ただ、そうした人たちは社会全体からいえば、じつはみんなとはいえない、少数のひとたちではないでしょうか。どちらかといえば、坂口さんには危機に見えることが、ほとんどの人にとっては危機に見えていないことが問題とはいえませんか……。

坂口　そうなのかな。おれにとってのみんなは、いのっちの電話で話して感じた人々の声だけど、彼らの話を聴いていたら、けっこう大変なことになっている。しかも、南島くんがいう、社会の大半のひとたちも本当はみんな気づいているのだと思う。何かおかしいなと思いながらみんな働いているわけじゃん。大体おれはいつも自分の話をしているのだけど、いまはみんなのことが気にかかっている。心学校も、みんなへの「教育」というと気持ち悪いけど、前にも話した通り、バウハウスやブラック・マウンテン・カレッジみたいなイメージがしっくりくる。

技術を得る方法の技術

南島　ぼくが思うよき芸術教育は芸術とは何かを教えるのではなく、その何かを自ら見出すための技術を十分に提供することにあります。坂口さんの活動は、そうした教育のスタイルに一番近いのかもしれません。

坂口　それでいうと、今日は統合失調症のひとが電話してきた。たぶん、家族や周りの人から悪く言われているのだろうけど、おれはその人の話をほとんど聞かずに、とりあえず一人になれますかと伝えた。その人の場合は文句言われない可能性を作りたいと思ったから。それで将棋とか何か興味あります？と言ったら、ぼくは将棋が好きだと突然言い出した。もうおれはわかっているわけ。統合失調症と言われがちな人は、本当は一人で時間がしっかり過ごせるのだけど、それだと社会性がないと言われてしまい、外の世界に出されるけど、そうすると色々なところに意識が飛んでいくから、少し混乱しているように受け取られてしまう。これが自分の研究結果。だから、できるだけ好きなことができる環境を整えることが大事。将棋が好きなら、詰将棋を二〇問作って、おれに送ってくださいと伝えた。すると、普通に自分から電話を切れる。

そういう意味では、これは技術の伝達かもしれない。もっと言うと技術を教えているのですらなくて、おれの場合は**技術を得る方法の技術**を伝えている。今の教育はまったくここをやっていないと思う。だからこそ、美大に行っても芸術家になる方法が見えずに、若手の登竜門的な賞で何かセンセーショナルな絵を描いて、それをコマーシャルギャラリーの勘がいい人たちが買い漁る。もうそういうことでしかなくなってきている。もしくは最近はチームを作ってやるのがあるかもしれないけど、おれの場合はいつもできるだけ一人でやってみようという意思が強い。もちろんみんなでやる仲間意識も否定しないけど、自分は昔から一人で生きることに関心を抱いている。これはどんなときでもぶれないこと。

南島　一般的に技術というと、何か自分の持っている能力を正しく表に出すための方法のことが思い浮かびます。ただ、いまの話を聞いて同時にそこで言われる表、つまり社会から自分の身を守るための技術もあると思いました。自分の能力を隠しておくための技術と言えばいいでしょうか。統合失調症の方へのアドバイスもまずは一人になることで、本意ではない形で自分の能力が社会に現れないようにするための方法だと思いました。社会に対して、自己表現するのも技術、表現をしないでいるのも技術。このふたつの技術があるとすると、どちらかというと、後者の方に坂口さんの技術論の重きが置かれている気がします。

坂口　そうそう。**まずは距離を取ること**を意識している。本を読んだ人で、電話番号があるからおれに会いたいと電話をかけてくる人がいるけど、ほぼ一〇〇パーセント断っている。なぜなら、おれの中には誰かに褒められたい、評価されたいという承認欲求がたぶんないから。この欲求が人生のメインテーマになってしまっているひとも多いけど、おれにはまったくない。

誰かと会って話して得られる承認も必要なければ、実は他者からの評価も必要なく、しかも自分の作品に対して自分でも評価してないという状態でもある。この段階で作品を作れたら、おれは勝ちだと思っている。たぶん、みんなはそんなことができるのかと疑いの目を向けることもあるだろうし、たしかにどこかがまずくなりそうだけど、不思議なことに全然、そうはなっていない。

南島　しかし、本当に承認欲求のない人間が存在できるのかどうかはとても疑わしいですが、坂口さんのなかでは以前話されていた、トラウマのなさと関係している気がします。両方ともなぜないのか、もしくは「ない」と言えてしまうのか、その理由は分かりませんが、でもたしかにトラウマへの恐れがあったら、いのっちの電話なんて続けられるはずがないことは頷けます。でも、繰り返しますが、そんなことが現実に可能なのでしょうか。

坂口　そこは自分でも不思議なんだよね。トラウマがないというのは、つまり、おれには父殺しの欲求がないという意味になる。オイディプスコンプレックス的なものがないということ。ただその代わりに、母親との関係は正直、あまりうまくいってない部分があった。母親からは、おれが四〇歳過ぎてもまだ「医者にならないの？　恭くんは」と言われていた。

でも、もちろん自分の活動が誰からも評価されなかったわけではないことは、これまで話してきた通り。おれの場合は小学校の時から必ず誰か一人は面白いねと言ってくる人がいた。かといって、じゃあその人に認めてもらいたくて頑張っているわけでもないから、それも承認欲求とまたちょっと違う。自分の思いのままやったのに、それがなぜかひとりの人間を動かしたという実感があるだけで、それが他人からの評価とも思っていない。どっちかというと他人からの「理解」のニュアンスに近い。そう、おれの場合は理解してくれる人が世の中に一人だけはいることを小さいときから学んでいた。それが、今のいのっちの電話を続けている、ものすごく根本的な熱源になっている。

南島　なるほど。承認と理解を区別しているのですね。考えてみると、承認は何か感情的な不安を埋め合わせるために必要なものかもしれません。対して、理解には、もっとドライな感じがあります。感情的な反応がなくても、他人を理解することはできますからね。心学校のなかで坂口さんのいのっちの電話のさまざまな実例を聴いていても、坂口さんはエモーショナルに人々を勇気づけているように見えて、実はものすごく機械的。それこそAI的な坂口さんの姿が浮かび上がってきます。でも、承認はできなくとも、理解することができる機械的な生き方は、じつは幸福なのかもしれません。

坂口　いのっちの電話の話でいうと、最近、虐待を受けているらしくて、解離性障害の一五歳の女の子がいる。彼女と話していると、何人も別の人格が出てくる。その子が「他人と会うのは怖い」とメールしてきたから、「じゃあおれのことは怖くないのか」と聞いたら、「お兄ちゃんは怖くないかも」と言っていた。

おれはけっこう口悪いし、その子が「ちょっともう死ぬかもしれないから明日会えるかわからない」とか言ってメールしてくる時でも、「明日会えなかったらそれはもう諦めるけどおれはおれなりに一〇〇パーセント、今後も付き合っていくつもりがあるから、後悔はないけど、明日電話できると嬉しいな」と返事しちゃう。その子が「助けて助けて」と言っても、おれが眠い時だったら「そうだよね、眠いよね、ゆっくり休んでねと言われないと、お前のことをおれは仲間と思えないから、ごめん」とはっきりと伝えることにしている。

でも、こういう会話をすれば、またその人の中での自分や他者への理解が一歩進んだりするんだよね。おれはその人の別の人格が出たときにも同じコミュニケーションの取り方をする。乖離が起きていたとしても、そうすることによって彼らとは円滑にコミュニケーションができるなら、それならそれでいいじゃんと思ってやっている。

ほかにも集団ストーカーに遭っているという人の話すら事実として聞いて答えている。ふつう、それはただの統合失調症でしょうと言われて終わりだけど、おれは乗っかっちゃう。部屋に誰かが入ってきているなら、それをとにかく隠しカメラで撮って、証拠を取って持ってこいと言う。だんだんおれの方が信じすぎちゃって、相手がちょっと引いたりする。そうやって精神的に波が来ている方に行くと、ここでもまた何かひとつの理解があったりする。でも、そういう経験は別にいのっちの電話だけで経験していることではなくて、自分の人生観として培ってきたものでもあると思う。

この間もタチウオ漁に同行したら、二五〇匹獲れて、漁師さんが過去最高記録で放心状態になっていた。おれもなぜかわからんし、技術も何もないけど、でも漁師のお父さんはおれにいいところを見せようとしたのだろうね。だからはじめ網がプロペラに引っかかるという大惨事もあった。おれは一万円払って連れて行ってもらっていて、しかもここでどれだけ稼いでも一円ももらいません。ただ、漁でいくら稼いだかは見せてくださいと頼んだりして不思議な正直者の使い方を見せた。漁師はもうわけわかんなくなっているわけ。三〇万以上稼いで、お礼にタチウオを数匹くれた。

普通の経済感覚だとめちゃくちゃだよね。でもそれでもいいって言えば言うほど、彼らはそのお礼に理解を示すわけよね。いつでもお前が乗りたい時に電話をしてくれと最後に言ってくれた。

こういうことをずっと自分はたぶん続けていて、もうおれの中ではこれは完全なる資本主義ではないと思っているし、それは自分が「社会」ではないものと考えている共同体で、家族ではない人間たちが集まる時のゾクゾクを感覚している。もっと言うと、いのっちの電話も全員助けるわけではない。おれに少しでも悪意を示したりするとやっぱり引いちゃう。「君はたぶん後で裏切る人やごめん」と言って電話を切っちゃうこともある。だから社会的には全然おれは福祉能力がない人だということだと思う。

だからといって、本当に限定して、お金くれる人だけを助けようとしているわけでも、自分を信じている人だけを助けたいっていうわけでもないから、自分もこれが何なのかはわからない。ただ、いのっちの電話をやっていて、自分で分かったのは**その人の中にある変わってない部分**を見つけるのは得意ということ。というより、それがない限りは、おれに反応するはずがない。みんな、その部分でおれに感応している。

ほんとうに人間のなかにある変わってない部分は強くて、雑草みたいにパーって出てくるんだよね。その感覚は自分も知っているものだから、わざと多少演出して使っている。ずるいかもしれないけど、そういうことに関する苦悩みたいなものはやっぱりゼロなんだよね。

もちろん、おれの場合は周期的に鬱状態になることで、いろんな人の精神的な段階を味わわされている。でも、いま「いろんな人」と言ったように、鬱は自分の調子が悪い段階とはもはや思っていない。おれの鬱状態は社会に対しての反作用のような形で実は動いている気がする。つまり自分が感じている部分はおそらくどこかの誰かが感じていることなのだろうと思いながら、記録している。

それが鬱状態のときは本当に自分が感じているとしか思えない状態まで持っていかれるから死にそうにもなるのだけど。でも逆に言うと、そこまでスーパー空っぽになれるということでもある。空っぽでペラペラは悪い意味でもあるけど、おれはそのおかげで何か心が暖かくなって、お天道様的なものを感じることができている。

心の奥底で変わらずに持っているもの

南島　改めて言えば、いのっちの電話が坂口さんにとっての生きのびる方法の具体化であり、一種の芸術活動にも見えます。福祉のようだけど、それが本になったり、こうした語りになることで、それぞれの場所に合わせて作品としての輪郭が作り上げられているからです。また芸術でもあることは、いのっちの電話がこの社会に対する、単純なアジテーションや異議申し立てとしてやっているわけでないという意味でも重要に思います。

坂口　そうね。前にも話したことだけど、おれの場合はよく現実の社会に対するアンチテーゼをやっていると捉えられることもある。でも自分のアンチテーゼのために、たとえば路上生活者を利用したりしたら、だいたい彼らからやっかみを言われたりする。でもおれにはそんな経験が一切ない。それもそう言われないために周到にセッティングしているわけではない。おれがちゃんとその人をリスペクトしていることを伝えて、その人が理解を示してくれたことを知っているから。彼らからはあんたみたいに理解してくれる人がいて、本当に良かった、全部教えると言われる。

理解で言えば、おれには鬱状態でも唯一会える熊本の女の子がいるのだけど、彼女との間にも理解を感じる。別に性的な関係があるわけではないし、フーちゃんも理解してくれている女友達。彼女から「どんなに何かがあっても本当に私はもうずっと味方で応援させていただきます」みたいな感じで言われて、心が温かくなる。だからといって、その子と密会を重ねるわけでもなくて、その子はその子で独身で生きているのだけど、何か困ったらおれは一生守ってあげたいと思う。いのっちの電話していることももちろん知ってくれているし、でも大変でしょうなんて一言も言われたことがない。

うちの娘も人前に出て活動するなんて身を削ることになって大変かと思われたりもするけど、前に石牟礼道子の歌を一緒に歌ったように、こんなに人から感謝されたり感動したと言われて、そのお礼まで言われたら、元気しかもらえませんねみたいな感じになっている。そういう経験をすると、何か自己表現をしたり、世の中にアウトプットすることが、みんなの上に立つことではないことがよく分かる。これは、みんなが**心の奥底で変わらずに持っているものを見せているという行為**なんだよね。おれはその瞬間、涙が出るような体のなかの高まりを感じることができる。それは本当に重要なことだと思う。

南島　第一回で石山修武さんに対して、結局、建物を建ててしまうことと、そしてもうひとつ自己愛の泥沼にはまっていってしまうことへの違和感を話されていたと思います。坂口さんが言う、空っぽになっている状態とは、自己愛ではない方向へと向かうための準備かもしれませんね。師匠とは異なる道へと進むための、結果的には重要な戦略になっていると見えます。

坂口　かといって、石山さんに対する、いわゆる反省的態度で別の方向で生きのびることにしたというわけではない。現代建築や美術がなんでこういう世界なのだろうと不思議に思っていたことが前からあった。それこそ、おれだって村上隆〈99〉さんや奈良美智さん、大竹伸朗さんもそうだし、自分よりちょっと上ぐらいだと会田誠〈100〉さん、小沢剛〈101〉さんの集まりや個展には顔を出したりもしていた。でもおれは、これは悪い意味ではないけど、すごい男の子たちの集まりで、あんまり品が良くないなと思っちゃった。おれには苦しくてこっちではないかもと感じた。おれの場合は男性とはどこかでぶつかってしまうところがあったのかもしれない。

それこそおれと渡辺京二との関係にもそういったところがあった。実際、たぶん道子さんと仲良くしすぎたのが悪かったのだけど、京二から絶縁状までもらったぐらい。でもおれも意地悪といえば意地悪だから、どんなことされても何とも思わないから、すいませんとすら言わずに電話したりして、京二さんからおまえ絶縁状を送っただろうと言われたりした。

おれ自身そういうことでいじめられることもあったんだよね。アルバイト先で泣いたりもしていた。でも、おれをいじめていた人はその三年後にサーフィンで波にのまれて死んじゃった。おれの人生にはそういうことが起きる。社会に対してトラウマを感じない代わりに、おれの頭の中の毘沙門《びしゃもん》が暴れるときがあるんだよね。若いときはときどきそれを出しちゃっていたけど、最近は面前では見せないように生きている。

南島 でも、きっと坂口さんは根底的には暴力を肯定していますよね。

坂口 おれ自身はたぶん肯定している。フィジカルな暴力だろうが、刃だろうが襲われたら、一瞬で殺すと決めている。だから頼むから、みんなおれに近づかないでくれと思っている。特におれに対して敵意を見せるぐらいだったら会わないで欲しい。家族もある程度、オープンソースにしちゃっているけど、家族は徹底して守るし、家族みんなで生きていくために、おれは一生守る約束事のつもりでやっている。

そんな感じで実は本気の部分というのが常にあって、それが生き延びるためにすごく重要な側面でもある。でも、だからちゃんと自分の無能さを確認しなきゃいけない。中国に伝わる昔からの兵法だけど、素人だと思われるというのは重要なこと。おれからすれば、いまも常に戦時中。だからこそ、いろんなところから突っ込まれたりするから、たとえばテレビにはよっぽどのことがないと出ない。生きのびるための技術としては小さい頃から変わってないものがあるはずなので、それをどうにかして別の形に出力したり、表現することが本当の意味でのクリエイティブだと言える。そして今後のために必要なものだと思う。おれはそれを見つける天才な気がしている。

生きのびるためのリスクマネジメント

南島　坂口さんは「リスクマネジメント」というと野暮ですが、社会の言葉から自分を守るための危険予防策を徹底して講じていますよね。逆にいうと、それぐらい危ない橋を坂口さんは渡っているので、気軽にはあまり真似しないほうがいい気がします。家族を晒すためには最終的に暴力もありえるという精神をもっている人間でなければ、たぶん本来は軽くやっていいものでもないようなところもあるし、お子さんにとってみれば、リスクでもあるわけですけど、でもそれをやってもいいだろうと家族の方も承認をしているぐらいにはリスクマネジメントの意思があって、ぼくはむしろその強靭さに驚きます。

坂口　おれの場合には暴漢に襲われたらどうしようとか、そういう気配はけっこう感じやすいからリスクマネジメントの意識がある。家族を晒すことのリスクについてはもちろん何度も家族で話し合って考えてきている。だいたいアーティストは作品制作で活躍していても、家族の中がぐちゃぐちゃということはありがち。その点、おれからするとピカソは二段、三段、評価が落ちる。

絵画の評価自体は高いのだけど、人間ってそれだけじゃない。むしろおれの中では芸術は家族のなかでやりとりされる会話だったり、子供が学校行けなくなったときに掛ける一言が大事だし、そういうときには一緒に時間を過ごすことが必要だったりする。そこでお父さんは忙しいので東京に行ってきますとは言わずにね。おれの場合には、それを作家としての自己愛の表現としてではなくて、わざと衆前で見せちゃうことで、すごく細かく意識してやっているつもり。そしてそのなかで家族をプレゼンテーションしたりすることもあって、家族から否定されることもあるかもしれない。

ただ、表に出ることに対する家族の気持ちも常に移り変わっていく。娘も少しずつ変わってきて、今回は石牟礼さんの詩を一緒に歌ってくれた。そういう変化はいろいろあるし、同時にうちらは家族であると同時にホールディングス、つまり会社組織でもある。四人でチームを組んでいる状態が、お互いにとってのある種の承認なんだよね。家族をどこまでオープンにしていいのかということも含めて家族のなかで議論にあがる。でも、うちらはいま話した仕方でこれまで生きのびている。

同じ躁鬱病として椎名誠〈102〉の家族の在り方などもずっと見てきているけど、あれも一つの形で良かったのだろうと思っている。もちろん、そのあとに家族の反発があったことも一応チェックをしているから、そのうえで自分ならどうやってみようかと考えている。ただ、おれの中では、これはもうおれ一代で終わるものではないという認識もある。子供は子供で好きなことをするっていうだけの世界ではないんだよね。歌舞伎の世襲制ではないけれど、おれ自身はやっぱり先祖と子孫のその繋ぎ目としている感覚を強く持っている。

実際、いのっちの電話は、スピーカーで娘と息子と一緒に聞いたりもしている。

南島　それはちょっとすごいことですね。

坂口　いのっちの電話の度に子供たちとの会話を遮って、おれだけ隣の部屋に隠れてその人の話を聞いている場合ではないわけ。それでは創作と家族運営が分裂してしまっている。

子供たちは遊びたいと思うときもあるから、おれは子どもたちに電話をとっていいかなと聞いて、たとえばゲンからは「いいよ、一緒に横にいてくれるなら」と言われている。こういうコミュニケーションを見ていたら、何か可能性しか感じないはずなんだよね。だけどいまはみんなそういうところも分け過ぎている。

だから、やっぱり『家族の哲学』で書いてしまったように家族の問題は重要。今のところは、どうにかギリギリ地雷を踏まずに来ているけど、でもいつも綱渡りではある。だからこそ時間を作って子供たちも命がけで守りたいと思っているし。おれが冗談ではなく、子ども二人に年間五〇〇万ずつ払っていることも含めて、あのふたりはすでに仕事していると認識している。うちらは他の家族とはちょっと違うかもしれないけど、それぞれのやり方っていうのを見つければいいと思うとすごく心が軽くなる。

家族もみんな苦しいかといったらそうでもない。さっきも言ったけど、うちらは困ったらみんなで話す。ゲンは九歳だけど、彼の意見も尊重してやっていこうという家族。娘にも苦しいことが今まであったかね？　と聞いたら、とりあえず一四年間では気づいてないって感じだった。アオの個展を開いて作品が売れた時も、もう嬉しくて金なんかいらんって言いたくなるなんて話していた。そうやって、不思議と二人で資本主義を飛び越えた瞬間を何度も経験してきた。心学校ではそういうコミュニケーションのありかたも大事にしたい。

　心学校のイメージのひとつに、誰も研究員は取らずに毎回講義をしていくという意味ではバウハウスやブラック・マウンテン・カレッジと並んで、フーコーのコレージュ・ド・フランス[103]の最終講義もおれのなかにはあった。フーコーのその講義（『ミシェル・フーコー講義集成13　真理の勇気』）のなかで、自分を救い、その方法を人々の前でちゃんと見せつけろ、というソクラテスの最後の言葉が書かれていた。それを読んだときに、ソクラテスのやり方といのっちの電話でのやり取りや自分の家族との関係の作り方はすごく近いのかもしれないと気づいた。

　もっと言うと神話で行われていたこともそれだと思う。家族の中であることを聞いて、それがどういうときにどうなったとかが事細かに書かれているのが神話だからね。それははるか昔の話なのだけど、神話のなかで生きている方にリアリティがあるし、具体的な参照項としても感じられている。**自分をまず助けなさい、そしてその方法を人々の前でわざわざ見せて、伝えなさい。**この言葉と『真理の勇気』第2章に書かれている、自己と他者の統治も、自分がやろうとしていることにやっぱりちょっと近いような感じがする。真理の勇気とは何なのだろう？　心学校は、そういう意味では、自分の心の態度について表明する場所になっている感じがする。

真実を語るということ

南島　さっき話されていたように自己表現と家族運営は切り離して考えることが多いですし、それで両者を天秤にかけて、家族が自己表現のために犠牲になってしまうケースはよくあると思います。かつ、それがかつてであれば、芸術家の理想的な姿とすら思われていたかもしれません。そして、何かを犠牲にして表現を続けることが、その人の負い目であり、表現の裏に張り付くトラウマになったりします。

繰り返せば、坂口さんにはそうしたトラウマがない。というより、トラウマをトラウマと捉えないためにどうしたらいいのか。たとえば家族会議を開くなど具体的な方法を日々、実践されているということですよね。しかし、やはり本当に犠牲なくして、表現が可能なのかという点は気にかかります。

坂口　自己犠牲も含めて何かを犠牲にしていたら、いまのステージにはいないと思う。だって犠牲があったら、うちの家族はもっとギスギスしとるから。おれの場合も好きな人ができたら好きな人できたって言っちゃう人で、それは一見、むちゃくちゃなんだけど、おれはソクラテスが言う意味で全部パレーシア、いわゆる真実表明としてやっている。

「『すべてを語ること』とは、そのとき、何も隠さず真理を語ること、いかなるものによっても隠し立てせずに真理を語ることになるのです。『ピリッポス弾劾第二演説』のなかで、デモステネスは次のように語っています。すなわち、好き勝手に何でも語り自らの弁論を理性に準拠させることのない悪しきパレーシアステースとは異なり、自分は理性を用いずに語りたくはないし、『罵詈雑言を浴びせたり』、『やられただけやり返したり』したくもない、と（みなさんもご存じのとおり、激しい口論においては、敵にとって不利益となり自分の主張にとって有用でありさえすれば、どんなことでも語るものです）。彼がやりたいのはそんなことではなく、逆に、パレーシアをもって（meta parrêsias）、真なることを（ta alethê、真の事柄を）語ることです。それに、彼は付け加えて次のように言います。すなわち、私は何も隠し立てなどすまい（oukhapokhrupsômai）、と。何も隠さないこと、真の事柄を語ること、これが、パレーシアを実践することなのです」（ミシェル・フーコー『真理の勇気　コレージュ・ド・フランス講義1983-1984年度』慎政康之訳、筑摩書房、2012年、14-15頁）

こういうことをフーコーがまっすぐ書いていると、おれも「その通りです」と思うのだよね。フーコーはこのあと「しかし私が思うにパレーシアという概念を特徴づけて定義するためにはこれではまだ十分ではありません」と進んでいくのだけどね……。

南島　それは坂口さんが石牟礼さんの声で聞こえたという、すべて事実が書かれた小説があるでしょうという問いに対する答えに限りなく近いものだと思いました。つまり神話を書くこと、パレーシアであること、素直であることは、まっすぐ一直線上にある。

坂口　そうだね。だから真実表明術は簡単な言葉でいえば、**素直になるための技術**だと言える。それがときに人を傷つけることもあるだろうけど、それでは駄目なんだよね。真実を語って、ある人を傷つけたように見えるけれども、それが傷つけるためでなかったこともちゃんと示していく必要がある。

自分の子供が自立するまでの付き合いだけが決して親の役割ではないように、それはずっと誰かと一緒にいるための方法。家族に対しても、お前とおれは仲間なのだから、お前がどんなになったっていいけど、何にもしないでいいとは言うつもりもない。うちのゲンちゃんもテレビやネットで適当な先生が言っている仕事ではなくて、お前は仕事をしていると、真実表明的に伝えている。

お前がどんなときでも笑っていることが、おれにとってはとんでもない仕事なのだと。

それによっておれは励まされているわけで、それに対する敬意も示しているつもり。ゲンもそのことを自信持って受け取ってくれて、おそらく嬉しいという風な顔をしてくれた感じがする。それは人間として認めていくことに近い。だからおれはもう生きのびることと家族と付き合うことはほとんどリンクしている。

そのうえで、生きのびることについて家族とシリアスに議論してしまうと、子供の口数が減っていくから、一見、雑談として成立するぐらいに安心な場所を作らなきゃいけない。おれはこういう安心な場所を作るのが好きで、そのためにできるだけ子どもが力でねじ伏せられないように自分を縛っていく。

だけど、今度は縛るのが悪いようになっていくと、自分がこれだけしたのになんでお前は、と悪口になっていく。おれからしたら、家族との関係で一番NGなのはそれ。そうならない方法とかをいまは実験としていろいろとやっている。これが何かはまだわからないのだけど、ただフーコーの文章を読むと、これはもしかして古代ではとても真剣に議論されていたことかもしれないと思えてきている。

自分で今やっていても、いろんな局面でここの精神性はどうか、ここで一言なんていうのか？の判断は常に喫緊の問題であり続けている。だからこそ、ここに関しては技術が必要。にもかかわらず、今の社会では基本的にみんな学校行って、働いて自立し、あと老後は親の面倒見るみたいな社会的な通念にしたがうことで、その喫緊の問題に気づかないようにしている。もしくは喫緊の問題で気づくのは六〇歳過ぎて仕事を辞めて、親の介護とかに直面してからになる。

でも、これらのことが、古代では普通に毎日考えられていたことだとしたら、それは自分にとってはものすごくコモンセンスだと感じられる。

その感覚を実現するために、この心学校は始まったのだと思う。

〈99〉**村上隆**

1962年生まれ。現代美術家、ギャラリスト、コレクター、有限会社カイカイキキ代表取締役。日本のアニメーションのセル画に見られる平面性と日本美術との共通点を通して立ち上げた「スーパーフラット（超平面）」のコンセプトから作品を制作し、欧米圏のアートマーケットでの成功を手にする。カイカイキキギャラリーのほか、2002年からはじまった現代美術の祭典「GEISAI」などで、後進の育成にも尽力する。また2013年には「めめめのくらげ」で映画監督も務めている。

〈100〉**会田誠**

1965年生まれ。現代美術家。少女や戦争、サラリーマンなどをモチーフに、日本社会のタブーや美術にかかわる自らのコンプレックスを批評的に提示する。絵画を中心としながら、彫刻やパフォーマンスなど表現の幅が広い。また『青春と変態』（1996年）や『げいさい』（2020年）など優れた自伝的小説の書き手でもある。

〈101〉**小沢剛**

1965年生まれ。風景の中に自作の地蔵を建立し、写真に収める《地蔵建立》、日本の貸画廊システムへのオマージュを込めた「なすび画廊」など、既存の社会制度をユーモラスに映し出す作風で知られる。ほかにも野菜を組み合わせてできた武器を手に持つ女性のポートレート写真のシリーズ「ベジタブル・ウェポン」や近年は歴史的な人物を題材とした物語形式の「帰って来た」シリーズなどを制作している。

〈102〉**椎名誠**

1944年生まれ。小説家、エッセイスト。代表作に自らの家族を題材とした私小説『岳物語』、ディストピア的な世界観を描いた『アド・バード』(第11回日本SF大賞)などがある。また短編集『春画』では自らのゆるやかな躁鬱の日々を記している。

〈103〉**コレージュ・ド・フランス**

1530年に創設されたパリ、カルティエ・ラタンにあるフランス国立の高等教育・研究機関。卒業生には哲学ではアンリ・ベルクソン、モーリス・メルロー＝ポンティ、ミシェル・フーコー、文学ではポール・ヴァレリー、ロラン・バルトなどがいる。

みなさん、心学校を最後までお読みいただき、ありがとうございました。全5回の対話はいかがだったでしょうか。これで講義はすべて終わりになりますが、心学校は学校なので、放課後の時間を一緒に過ごしてもらえたら嬉しいです。このあとがきでは、忘れないうちに心学校でぼくが考えたことを書き記しておきたいと思います。

まず心学校は、坂口さんにとって建築とは何か？　という問いから始まりました。さまざまな答えが返ってきましたが、なかでも最も核心的だと思えるのは、とてもシンプルなものでした。

建築とは——生者も死者も憩うことのできるシェルター。

これは誰もが納得できる、建築の原理論ではないでしょうか。実際、心学校をリアルタイムで聴いていて、この言葉に違和感をもったひとはいなかったと思います。原理とは、ほかのあらゆる行動が生まれる基本的な法則や指針のことですが、そこからいかにブレずに生きていけるのかを実践することが、坂口さんの創作の幹にはあるのでしょう。坂口さんは「原理論の人」なのです。

似てはいますが間違っても、原理主義ではありません。ある原理に反して動いている社会への異議申し立てのために、同志を集めて行動を起こす。これが一般的な原理主義のイメージだとすれば、ご自身でも「自分は社会を変えようとは思っていない」と語っていたように、坂口さんからは原理主義の影は少しも感じられません。出世作である『独立国家のつくりかた』によれば、社会を変えるのではなく、社会を増やすこと、これが原理主義にならずに、原理で生きるための方法だったのです。

坂口さんの場合には、その原理に基づいて建築をたてるのではなく、言語を用いて建築を試みようとしています。さらには建築の歴史を踏まえれば、建築とはもともと言語でもあると心学校のなかでは明言されていました。建築としての言語の代表的な実践例がいのっちの電話であり、この心学校もまたそのひとつに数えられるはずです。

では、心学校では具体的にどんな言語が使われていたのでしょうか。ひとつ興味深いのは、坂口さんはくりかえし自分のことを〝坂口恭平〟と呼び、師匠の石山修武を〝石山修武〟と呼び続けていたことです。これは坂口さんのあらゆる語りに共通して見られる特徴で、特にライフワークであった日記においてそれは顕著に現れていました。この坂口さん特有の名指しには、話中のあらゆる人物たちを名指されるに値する、偉大なる人間へと変貌させる力があります。坂口さんの語りは、名に宿る力の現れでもあるのです。第1回の最後の言葉を覚えているでしょうか。「おまえは次に神話を書かねばならない」、渡辺京二の遺言でした。省略することのできない名、ただそれ自身として世界に存在する固有の名、これらを持つものたちの物語こそ、神話の出発点にあるものだと思います。その意味では、心学校は神話のもとになる原型と言えるかもしれません。

ただし同時に、神話とは作者の名に依存しない物語でもあります。近代の小説では、作者や登場人物の自我や主体性をいかに表現するのか、その物語化の技巧が芸術作品としての評価に結び付いてきました。けれど神話では仮に書き手（あるいは「作者」）がいたとしても時代を経るにしたがって、その存在というものが跡形もなく消え去ってしまいます。作者不在にしてなおのこと、いつ・どこで・誰もがつながれる、普遍の力によって屹立する物語が神話なのです。

だから心学校が神話であるならば、そこで生まれたものは、坂口さんの創作物でありながら、誰のものでもない何か物語としか言いようのないものになるはずです。それは草原や荒野、もしくは砂漠にたつ名もなき石碑のようなもので、そこに刻まれたテキストには、インターネットをたゆたう無数の言葉とはまったく異質の時間性が宿ることになります。

さて、心学校では建築から文学、美術、音楽など芸術について語ってきました。みなさんのなかには何かを作りたいと思ったひとも多いのではないでしょうか。表現とは自分のなかにある何かを外に押し出す行為ですが、それを後押しする効果が抜群にあったと思うので、心学校は創作の学校であると言ってもいいぐらいです。

しかしその反面、心学校では「社会から自分を隠しておくこと」もまた生きのびるための技術として重要だと考えられていたことも思い出しておきましょう。第五回では名を打ち出すことと名を自分の内側に隠しておくこと、この表現をめぐるふたつの技術は表裏の関係にあり、おそらく後者のほうが坂口さんの活動にとっては本質的なものである、ということが明らかにされていました。

自らの電話番号を公開し世に身を差し出しながらも、名を守り家族を守るための方法が、この心学校では表現する方法とともに語られていたのです。それは、坂口さんの活動にはそれぐらいの必死さが潜んでいるということにほかならないのですが、同時に名を守って、大事なときにとっておけるということはとても贅沢なことだとも思えてきます。

そう考えてみると、心学校の隠れたテーマが浮かびあがってきます。心をうまく操縦するのではなく、ちゃんと温存しておくための方法です。心学校の教えは決して自分の心を巧みに操って、思い通りにする方法ではありません。というより、そんなものがあったら誰も困っていません。心はもともとままならないものであって、それが自分でも思ってもいなかった形で社会と触れてしまったときに、憂鬱を感じたり、無力感に襲われたりするのだと思います。だから、まずは社会から距離をとって自分の心を保っておく、心の温存術が必要になるのです。

いま何気なく「自分の心」と書いてみました。けれど、心はそもそも誰かのなかにあるものなのでしょうか。ぼくには、それぞれの人のなかに心があって、その人の名がラベリングできるようものにはどうも思えません。むしろ私と誰かが触れ合ったときに、その間に生まれる何かという感覚があります。ひとではなくても、ある懐かしい風景を見た時にその何かとの間に固有の心が浮かび上がってくるのだと思います。そしてその心が嬉しくなったり、悲しくなったりしているのを、まるで自分のことのように、私とあなたは感じ取ることができるのです。

第1回の後半で、心がひとつになったという実感が話題になりました。その危うさのなかから心学校が生まれたわけですが、いまとなってみると、その意味はこう捉えられるかもしれません。心学校を聞き、読んでいるひとのそれぞれの心が集まってひとつになったのではなく、みんなの寄り集まった間にそれぞれが自分のものだと感じ取れる、ひとつの心が現れたのだと。だれかが専有できるものではないが、たしかに私の心でもあると感じられる何かです。それには名前のつけようもありません。

原理論で生きること、神話を作ること、そして誰かとの間に心を生み出すこと。ぼくが心学校で感じ取ったのは、この三つのことでした。きっと心学校を聞いてくださり、また本書を読んでくださったみなさんにも、それぞれに受け取ったものがあったと思います。ここまで書いてきたぼくが言うのもなんですが、やっぱり心学校は坂口さんの言葉から始まったけれど、出来上がったものは誰のものでもないと思います。どこかの瞬間に、心が生まれたと思ったみなさんのための学校なのでした。

放課後の時間も終わりに近づいてきました。

ぼくの何気ないツイートから始まった心学校は、坂口さんからぼくへの贈与と、聞いて読んでくださった皆さんのおかげで、ここまで書いてくることができました。スペースでの音声版の心学校が終わり、そして書籍版の心学校もここで終わりとなります。最後までお付き合いいただき、ありがとうございました。

またどこかで心学校を開きましょう。

横浜にて　南島 興

南　島　興
Kou Minamishima

1994年生まれ。横浜美術館学芸員。東京藝術大学大学院美術研究科修士課程修了（西洋美術史）。全国の常設展・コレクション展をレビューするプロジェクト「これぽーと」主催。旅行誌を擬態する批評誌「LOCUST」編集部。神保町のオルタナティブ・スクールPARAでの連続レクチャー「美術史の門前」担当。『アートコレクターズ』展評連載のほか美術メディアへの寄稿多数。

坂　口　恭　平
Kyohei Sakaguchi

1978年、熊本県生まれ。早稲田大学理工学部建築学科卒業。2004年に路上生活者の住居を収めた写真集『0円ハウス』（リトルモア）を刊行。以降、ルポルタージュ、小説、思想書、画集、料理書など多岐にわたるジャンルの書籍、そして音楽などを発表している。2011年5月10日には、福島第一原子力発電所事故後の政府の対応に疑問を抱き、自ら新政府初代内閣総理大臣を名乗り、新政府を樹立した。躁鬱病であることを公言し、希死念慮に苦しむ人々との対話「いのっちの電話」を自らの携帯電話（090-8106-4666）で続けている。12年、路上生活者の考察に関して第2回吉阪隆正賞受賞。14年、『幻年時代』で第35回熊日出版文化賞受賞、『徘徊タクシー』が第27回三島由紀夫賞候補となる。16年に、『家族の哲学』が第57回熊日文学賞を受賞した。現在は熊本を拠点に活動。2023年に熊本市現代美術館にて個展を開催。近著に『cook』『自分の薬をつくる』『お金の学校』『中学生のためのテストの段取り講座』（晶文社）、『Pastel』（左右社）、『苦しいときは電話して』（講談社）、『よみぐすり』（東京書籍）、『いのっちの手紙』（中央公論新社）、『土になる』（文藝春秋）、『躁鬱大学』（新潮社）、『幸福人フー』（祥伝社）など多数。

坂《さか》口《ぐち》恭《きょう》平《へい》の心《しん》学《がっ》校《こう》

2023年9月25日　初版

著者　みなみしま
話者　坂口恭平
発行者　株式会社晶文社
東京都千代田区神田神保町1-11 〒101-0051
電話　03-3518-4940(代表)・4942(編集)
URL　https://www.shobunsha.co.jp
印刷・製本　中央精版印刷株式会社

ISBN978-4-7949-7377-1　PRINTED IN JAPAN

好評発売中！

中学生のための テストの段取り講座
坂口恭平

学校では教えてくれない、世界が変わる魔法の「時間割り」の組み立て方。13歳の中学生、アオちゃんから出たSOS「テスト勉強のやり方がちょっとわからない…」という言葉を受けたお父さんが、「テスト勉強の極意」を皆に伝える。塾にも行かず、勉強時間を大幅に増やすこともなく、テストで点を取ることなどできるのだろうか。【好評、4刷】

cook
坂口恭平

やってみよう、やってみよう。やれば何か変わる。かわいい料理本のはじまりはじまり―― 色とりどりの料理と日々の思索を綴った、写真付き30日間自炊料理日記と料理の起源へと立ち戻るエッセイ「料理とは何か」を収録する新世紀の料理書。【好評、4刷】

お金の学校
坂口恭平

お金に関する今世紀最大の発見(!?)「流れ」とは何か。「note」での無料公開時に30万ＰＶを超え、圧倒的熱狂の1週間を作り出し、その後完全予約制のオリジナル出版で初版５０００部を売り切った「お金の学校」が普及版として満を持して登場。皆に伝えたい「幸福」への道。

自分の薬をつくる
坂口恭平

誰にも言えない悩みは、みんなで話そう。坂口医院0円診察室、開院します。「悩み」に対して強力な効果があり、心と体に変化が起きる「自分でつくる薬」とは？ さっぱり読めて不思議と勇気づけられる、実際に行われたワークショップを誌上体験。【好評、4刷】

セルフケアの道具箱
伊藤絵美（著）
細川貂々（イラスト）

メンタルの不調を訴える人が「回復する」とは、「セルフケア（自分で自分を上手に助ける）」ができるようになること。カウンセラーとして多くのクライアントと接してきた著者が、知識と経験に基づいたセルフケアの具体的な手法を１００個のワークの形で紹介。【好評、16刷】

急に具合が悪くなる
宮野真生子
磯野真穂

がんの転移を経験しながら生き抜く哲学者と、臨床現場の調査を積み重ねた人類学者が、死と生、別れと出会い、そして出会いを新たな始まりに変えることを巡り、20年の学問キャリアと互いの人生を賭けて交わした20通の往復書簡。勇気の物語へ。【大好評、11刷】

ありのままがあるところ
福森伸

できないことは、しなくていい。世界から注目を集める知的障がい者施設「しょうぶ学園」の考え方に迫る。人が真に能力を発揮し、のびのびと過ごすために必要なこととは？「本来の生きる姿」を問い直す、常識が１８０度回転する驚きの提言続々。【好評重版】